ullstein

Das Buch

Lea Streisand ist unterwegs durch die große Stadt. Sie guckt hin, wenn der Alltag sich von seiner schrägen Seite zeigt, und schreibt Geschichten darüber, damit sie wahrer als die Wahrheit werden. Über Frieda, die als Kinderärztin zu viel arbeitet, oder Hannes, der vor lauter Tinderdates nicht mehr zum Schlafen kommt. Sie erzählt von Omilein aus dem Westen, von damals, als der Helmholtzplatz noch Drogenumschlagplatz war, und nicht zuletzt über den Vorsatz, niemals aus der alten Wohnung auszuziehen, um nicht in die Fänge des mietpreistreibenden Gentrifizierungsmonsters zu geraten.

In *War schön jewesen* versammelt Lea Streisand ihre schönsten Lesebühnentexte, *taz*-Kolumnen und Radiotexte – und zeichnet dabei ein sehr persönliches Porträt ihrer Heimat.

Die Autorin

Seit 1986 kann sie lesen, seit 2003 liest sie auf Lesebühnen und Poetry Slams in Deutschland, Österreich und der Schweiz. Lea Streisand ist Mitglied der Neuköllner Lesebühne *Rakete 2000*. Außerdem schreibt die gebürtige Berlinerin Kolumnen für die *taz* und hat seit Herbst 2014 eine wöchentliche Hörkolumne auf *Radio Eins*.

Lea Streisand

War schön jewesen

Geschichten
aus der
großen Stadt

Ullstein

Besuchen Sie uns im Internet:
www.ullstein-taschenbuch.de

Originalausgabe im Ullstein Taschenbuch
1. Auflage November 2016
2. Auflage 2017
© Ullstein Buchverlage GmbH, Berlin 2016
© 2016 Lea Streisand
Umschlaggestaltung: ZERO Werbeagentur, München
Titelabbildung: © FinePic®, München; Stephan Pramme (Foto)
Satz: Pinkuin Satz und Datentechnik, Berlin
Gesetzt aus der Minion
Druck und Bindearbeiten: CPI books GmbH, Leck
Printed in Germany
ISBN 978-3-548-28652-5

Für T.

Lerne lachen ohne zu weinen

Die Ratten am Paul-Lincke-Ufer rennen nach rechts. Vom Wasser weg über den Weg zu den Mülleimern. Die Tiere sind groß wie Meerschweinchen und zahlreich wie Fruchtfliegen über dem Biomüll.

»Is ja eklig«, sagt Kathi.

Wir suchen ein ruhiges Plätzchen zum Reden. Es ist Samstagabend. In den ganzen Sofabars in der Weserstraße waren zu viele zu junge zu fröhliche Menschen für uns. Wir haben unser Bier im Späti gekauft. Jetzt suchen wir eine Bank. Zum Sitzen, nicht zum Abheben.

Wir finden ein rattenloses Rondell, das neben einem geschlossenen Kiosk um einen Baum herum gebaut ist. Ein Kaugummiautomat steht im Gebüsch. Wie ein tapferer kleiner Zinnsoldat.

Kathi geht es gar nicht gut, deshalb haben wir auch Zigaretten gekauft. Und ein Feuerzeug. Eigentlich hat sie vor drei Monaten aufgehört, aber das hier ist ein Notfall.

»Alle sind schwanger, Lea, alle!«, sagt Kathi und pustet den Rauch in die Luft.

»Ja«, sage ich und nicke weise.

»Alle haben sie Kinder und sind verheiratet und sitzen da in ihren schönen Wohnungen und reden über Stilldemenz und Kitaplätze. Und dann gucken sie mich an und fragen: ›Und, Kathi, wie läuft's bei dir so?‹, und ich sag: ›Och, na ja, ich komm im Fitnessstudio nicht so richtig voran.‹«

Tränen kullern über die hübschen Wangen meiner Freundin. Kathis Vollpfosten von Exfreund hat es vor kurzem geschafft, die Beziehung mit ihr volle Kanone gegen die Wand zu donnern. Außerdem hasst sie ihren Job, und sie muss aus ihrer Wohnung raus. Alles Kacke, deine Kathi, sozusagen.

Gleich weine ich mit, denke ich und nehme sie in den Arm.

Irgendwie hat gerade die ganze Welt Liebeskummer. Jeder Zweite wurde gerade verlassen. Die andere Hälfte ist im Begriff, sich zu trennen. Und der Rest ist auch nur einsam und unglücklich. Dabei ist doch Frühling! Die Sonne scheint, die Vöglein piepen lauter von Tag zu Tag. Und doch sickern Nacht für Nacht Bäche aus Rotz und Wasser in die Kopfkissen der Hauptstädter. Und in die Pullover ihrer Freundinnen.

Ein kleiner Wasserfleck hat sich auf meiner Schulter gebildet.

»'tschuldigung«, schnieft Kathi und versucht, ihn wegzuwischen.

»Is egal«, sage ich und reiche ihr ein neues Taschentuch.

»Danke«, näselt sie, um übergangslos hinzuzufügen: »Er ist so ein Arschloch!«

»Ja«, sage ich.

Die beiden wollten zusammenziehen, Kinder kriegen. Das volle Programm. Und dann hat er Schluss gemacht.

Per WhatsApp! Definitiv ein neuer Rekord auf der Scheiße-sein-Skala. Sie hatten sich gestritten. Wegen irgendwas. Sie schrieb: »Wenn du nicht mitmachst, dann hat das alles keinen Sinn!« Und er antwortete: »Dann lassen wir's eben bleiben. Ich komm auch gut alleine klar.« Trottel!

Meine Freundin Kathi ist eine sehr stolze Persönlichkeit. Die lässt sich so etwas nicht bieten. Würde mein Freund zu mir so was sagen, wäre ich vielleicht drei Tage beleidigt, höchstens vier. Mir fehlt da einfach irgendein Nachtragend-sein-Hormon. Man könnte es auch Mangel an Charakter nennen. Davon abgesehen würde mein Freund so was nie zu mir sagen. Es ist schon fast peinlich, wie gut wir uns verstehen bei dem ganzen Unglück um uns rum.

Mein Exfreund war von der gleichen Sorte wie der von Kathi. Typ großer kleiner Junge. Die Beziehung war wie eine Himbeere. Sehr süß am Anfang und im Verlauf dann irgendwann trocken, eingeschrumpelt und ein bisschen verfault. Der Exfreund und ich sind trotzdem noch befreundet. Wir haben einander fünf Jahre unseres Lebens geschenkt, die schmeißt man nicht so einfach weg. Für Kathi käme so was nicht in Frage. Sie ist eine stolze Frau. Eine Schlussstrichlerin.

»Ich bin ja nur froh, dass ich Heuschnupfen habe«, sagt Kathi und schnaubt geräuschvoll. »Kann ich immer die Birkenpolle vorschieben, wenn jemand fragt, warum ich schon wieder so scheiße aussehe.«

Sie hat sich jetzt eine Kühlmaske angeschafft. Weil die Tränensäcke nicht mehr abschwellen wollten. Und wasserfesten Mascara.

»Ich bin so nah am Wasser grade, neulich hab ich sogar beim Fernsehen geheult.«

»Chick flicks?«, frage ich. Wenn es mir schlechtgeht, laufen bei uns zu Hause immer sämtliche Jane-Austen-Verfilmungen in Dauerschleife, inklusive *Bridget Jones*. Oder *Harry Potter*.

»Nee!«, sagt Kathi. »Tierparkfilme!«

»Was?«, rufe ich und spucke ein bisschen Bier auf den Gehsteig.

»Mir tat schon das Rehkitz so leid, das von seinen Geschwistern geschubst wurde«, erzählt Kathi. »Als dann das Nashorn kam, dem sie Frau und Kind nahmen …«

Sie winkt ab. Es ist schlimmer, als ich dachte.

»Ich kann auch nicht mehr U-Bahn fahren«, erzählt sie weiter. »Sobald jemand nur traurig guckt, möchte ich ihm um den Hals fallen und rufen: ›Ich versteh dich. Mir geht's auch nich gut.‹«

»Das kenn ich aber auch ohne Liebeskummer«, erwidere ich.

»Wenn du dich ma so richtig runterbringen willst«, schlägt Kathi vor, »musste mal U8 fahren.«

»Au ja!«, rufe ich. »Die Selbstmörderbahn! Von Wedding nach Neukölln und zurück. Ein Panoptikum der Alten, Kranken und Unglücklichen.«

»Irgendjemand heult immer«, sagt Kathi. »Und irgendwer macht immer grad am Telefon Schluss.«

»Ja!«, jubele ich. »Und einer hat immer grad was aufs Maul gekriegt.« Jetzt laufen mir die Tränen über die Wangen, weil ich so lachen muss.

Drei Jungs kommen vorbei. Ihre Hosen hängen so tief

unter ihren nicht vorhandenen Ärschen, dass es an ein physikalisches und orthopädisches Wunder grenzt, dass die Träger sich nicht auf die Fresse packen.

Kathi schluchzt schon wieder.

»Warum is denn alles so scheiße, Lea?«, wimmert sie.

»Ach Kathilein!«, sage ich.

Die Jungs gucken sich um, sehen den Kaugummiautomaten, mustern uns kurz, dann zücken sie ihre Filzstifte und kritzeln ihre Tags auf den kleinen roten Kasten.

»Wir sind vonna UdK«, sagen sie zu uns. »Wir machen hier'n Kunstprojekt.«

Kathi schnieft. Die Jungs beenden ihr Kunstprojekt, dann schmeißen sie ihr Kleingeld zusammen und werfen es in den Automaten.

»Geil!«, sagt der eine und hält eine kleine Kugel in die Höhe. »Kaugummi aus'n Achtzjan!«

»Kannste zerbröseln und rauchen«, schlägt der andere vor, während er sich ins Gebüsch erleichtert. Hoffentlich pinkelt er ein paar Ratten auf den Kopp!

»Quatsch, Mann!«, sagt der Erste. »Ditt vaticken wa im Berghain als neue Designerdroge!«

Der Dritte fummelt ein bisschen an dem Automaten, dann tritt er dagegen und heult triumphierend auf. »Ey, 'ne große!«, ruft er. »Is bestimmt 'ne Kette drin!«

Kathi lacht, hält kurz inne und bricht dann wieder in Tränen aus.

»Kathilein«, sage ich und wiege sie im Arm.

Plötzlich stehen die Jungs vor uns. Sie halten uns die Kaugummikugeln hin und grinsen niedlich.

»Is der neue heiße Scheiß!«, sagt der eine.

»Hilft jegen allet!«, sagt der andere.

Der Dritte gibt Kathi die Kette: »Is echt Silber!«, sagt er.

»Danke schön«, krächzt Kathi und weiß nicht mehr, ob sie lachen oder weinen soll. Macht sie halt beides.

Ernte 1964

Es ist Frühling in Berlin. Man könnte spazieren gehen oder Radtouren machen. Mein Freund steht in der Küche auf der Leiter und brüllt Zahlen durch die Wohnung.

»ZweitausendNEUN!«, ruft er. Vorwurfsvoll. Wehklagend fast.

»Ja, Mann!«, rufe ich aus dem Arbeitszimmer. »Konserven werden nicht schlecht. Das wusste schon meine Großmutter!«

Einmal im Jahr kriegt Paul einen Rappel. Dann fängt er an, wild Sachen auszusortieren, die eigentlich noch total in Ordnung sind. Kaffeepötte mit Werbeaufdrucken, die irgendwelche ehemaligen Mitbewohner hier zurückgelassen haben. Oder Plastetüten. ODER Konserven.

»Das IST keine Konserve, das ist Kartoffelbreipulver!«, ruft Paul.

»Kartoffelbreipulver is instant!«, sage ich. »Ergo Konserve.«

Ein Geräusch kommt aus der Küche, als würde etwas gegen die Schranktür schlagen.

»Du ISST überhaupt keinen Kartoffelbrei!«, ruft Paul.

»Dann schmeiß ihn halt weg«, sage ich. »Wirste schon sehn, watte davon hast.«

13

Ich bin ein bisschen enttäuscht, dass er keine Produkte aus den Neunzigern gefunden hat. So 'n Raider wäre doch cool. Was jetzt Twix heißt. Aber ich wohne hier auch erst zehn Jahre.

Als meine Oma gestorben ist, haben wir bei ihr im Keller Pflaumenmus gefunden, da stand *Ernte 1964* auf dem Etikett. Das hatte überhaupt kein Verfallsdatum. Von meiner Oma hab ich auch die Packung ATA-Scheuersand geerbt, die da oben im Küchenschrank liegt.

»Das schmeißt du aber nicht weg!«, sage ich zu Paul. »Das Zeug wird noch putzen, wenn der Kommunismus gesiegt hat.«

Ich putze ja fast nie. Seit ich mit Paul zusammen bin, habe ich mich zur schlechtesten Hausfrau der Welt entwickelt. In dieser amerikanischen Zeichentrickserie mit den gelben Figuren gibt es eine Folge, wo Marge und Homer eine echte Ehekrise haben. Sie schmeißt ihn raus, und er muss im Garten im Baumhaus wohnen. Nach nur zwei Tagen sieht Homer aus wie ein Höhlenmensch. »Das Einzige, was ich dir bieten kann«, sagt er zur Versöhnung zu Marge, »ist meine absolute Abhängigkeit.« Genau so funktioniert meine Beziehung.

»Wie schaffst du das, die Wohnung innerhalb eines Wochenendes genauso aussehen zu lassen wie vor meinem Einzug?«, fragte Paul, als er neulich mal drei Tage weggefahren war. »Unsere Küche sieht aus wie die Kulisse zu einem Splatter-Film!«

»Das war die Tomatensoße«, murmelte ich.

Ich habe einfach immer so wahnsinnig viel zu tun, wenn er nicht da ist. Telefonieren, lesen, arbeiten, Filme gucken, Freunde treffen. Eigentlich dasselbe wie immer. Nur, dass mir dann eben keiner ständig alles nachräumt.

Es ist mir schon peinlich. Früher hab ich wenigstens noch regelmäßig gekocht. Aber auch das hat er mittlerweile übernommen. Er ist einfach der leidenschaftlichere Hausmann. Wenn Paul sich entspannen will, nimmt er den Staubsauger zur Hand. Und wenn das nicht reicht, dann wischt er noch mal feucht drüber. Manchmal bin ich schon fast eifersüchtig auf unseren Fußboden.

Als wir ganz frisch zusammen waren, damals, in dieser Phase, wo man öfter am Tag Sex hat, als man Mahlzeiten einnimmt, da passierte es. Ich saß in der Küche in Pauls WG in Neukölln, Paul machte sich am Herd zu schaffen. Es sah sehr gut aus. Das Essen auch.

»Paul?«, sagte ich.

»Lea?«, fragte er.

»Paul!«, sagte ich. »Komm mal her! Ich will dich küssen!«

Paul lächelte in den Topf, in dem er rührte, hielt inne, stellte die Gasflamme kleiner, nahm den Löffel aus der Soße, schlug ihn am Topfrand ab und legte ihn auf ein eigens dafür bereitgestelltes Brettchen. Dann riss er ein Stück Küchenpapier von der Rolle ab, drehte sich zu mir und wischte sich, näher kommend, mit dem Papier die Hände ab.

Als er fast bei mir war, als ich schon die Hände nach ihm ausstreckte, um ihn zu greifen und an mich zu ziehen, glitt sein Blick plötzlich von mir weg nach unten auf den Küchenfußboden, wo er kleben blieb wie ein breitgelatschter Klecks Marmelade, und dann bückte Paul sich und wischte mit dem zerknüllten Papier etwas weg.

Fassungslos starrte ich ihn an, als er wieder auftauchte. Die Hände waren mir genauso runtergefallen wie die Kinnlade.

»Das ist jetzt nicht dein Ernst«, sagte ich.

Das war vor sieben Jahren.

»Zweitausendacht«, ruft Paul. Er beugt sich vor und hält eine Dose Mais in der Hand.

»Ja«, sage ich und denke an was anderes.

»Wie?«, fragt er.

»Zweitausendacht«, sage ich, »da sind wir zusammengekommen.«

Paul grinst mich an und dreht sich wieder zum Küchenschrank.

Ich gucke ihm beim Räumen zu.

»Du, sag mal?«, sage ich nachdenklich.

»Mhm«, macht er.

»Kann es sein, dass du dieses T-Shirt damals schon hattest?«

Paul dreht sich auf der Leiter halb zu mir um und macht ein sehr empörtes Gesicht. »Was denn?«, sagt er und guckt an seiner Brust herunter. Der Baumwollstoff ist fadenscheinig, das ehemals kräftige Rot zu einem ungesunden Seelachsfilet-Orange verwaschen. Der Schriftzug in Brusthöhe ist eine Ruine, und am Kragen reihen sich die Löcher aneinander, als wäre es ein Kettenhemd.

»Das ist doch noch gut«, sagt Paul.

Da sind wir definitiv geteilter Meinung. Ich finde wirklich, er könnte mal seinen Kleiderschrank ausmisten, statt hier völlig intakte Grundversorgungsgüter wegzuschmeißen! Mein Freund besitzt T-Shirts, die sind so alt, als die genäht wurden, hat Kurt Cobain das Gras noch geraucht, statt reinzubeißen.

»Das sind historische Artefakte!«, tönt Paul von der Leiter.

»Das sind stinkende Lappen«, sage ich.

Paul grummelt eine Weile vor sich hin und klappert mit den Büchsen.

»Okay, Deal«, sagt er schließlich. »Ein T-Shirt gegen zehn Konserven.«

»Von wegen!«, rufe ich. »Fünf T-Shirts gegen fünf Konserven.«

Wir einigen uns schließlich auf eine Drei-zu-fünf-Quote, und alle sind glücklich. Er, weil die Schränke leer sind; ich, weil er nicht mehr wie ein Penner rumrennt.

Ich denke, ich werde mal einkaufen gehen. Im Supermarkt ist diese Woche Linsensuppe im Angebot. Und im Küchenschrank ist jetzt so wahnsinnig viel Platz.

Der Grund für die Ehekrise der Simpsons war übrigens, dass Homer in der Öffentlichkeit intime Details über ihr eheliches Privatleben ausgeplaudert hat. Käme mir ja zum Glück nie in den Sinn.

Teelichte

Frieda und ich fahren zu diesem schwedischen Möbelhaus. Einmal im Jahr geben wir uns die volle Dröhnung. Mit Kötbullar und Apfelstrudel und allem Drum und Dran.

Frieda ist meine erstbeste Freundin. Sie legt großen Wert auf diese Bezeichnung. Als Kathi damals vor sieben Jahren bei mir einzog, als meine Wohnung noch eine WG war, benahm Frieda sich wochenlang wie ein beleidigter Liebhaber.

»Du kannst ja deine Freundin Kathi fragen«, sagte sie ständig, oder: »Kathi hat da bestimmt mehr Ahnung von als ich.«

Das Problem war, dass Kathi das Gleiche studiert hatte wie ich und genauso arm war, während Frieda gerade ihren Facharzt machte und mit einem Ingenieur zusammenzog.

»Sag doch, dass du mich verachtest, weil ich eine Spülmaschine besitze!«, zeterte Frieda, und ich sagte: »Du darfst mir deine Spülmaschine gerne schenken, wenn es dir damit bessergeht.«

Sie hatte einfach so wahnsinnig Angst, dass ich unter die Räder kommen würde.

»Du musst doch von irgendwas leben!«, sagte Frieda.

»Aber ich lebe doch!«, sagte ich.

Frieda und ich kennen uns schon ewig. Und trotzdem hat sie es nicht verstanden. Ich glaube, sie hatte auch einfach ein schlechtes Gewissen, weil sie ihre Ideale verraten hat. Frieda hat früher Gedichte geschrieben und jeden Punker unter den Tisch gesoffen. Und sie hat mindestens so oft vom Saufen gekotzt wie Paul in seiner Jugend.

Ich selber habe früher überhaupt nichts getrunken. Dafür habe ich mehr geraucht als alle anderen.

Seit ich durch glückliche Fügung beim Radio gelandet bin, hat Frieda zumindest keine Angst mehr, dass ich morgen unter der Brücke wohne. Radio ist was Reales, das kann sie nachvollziehen. Außerdem habe ich jetzt ein Einkommen und kann mir Sachen kaufen. Das ist auch neu. Und ich besitze eine eigene Spülmaschine. Die hat Paul mitgebracht, als er eingezogen ist, nachdem Kathi ausgezogen war, weil Kathi, wie sie erklärte, einmal im Leben alleine gewohnt haben wollte, bevor sie heiraten würde.

»Frieda?«, brülle ich gegen Mittag aus dem Badezimmer bei uns zu Hause.

Wir wollen seit Stunden losfahren. Aber ich musste mich noch schminken, Frieda wollte eine rauchen, dann noch einen letzten Kaffee, schon musste ich pullern.

»Was'n?«, fragt sie.

»Du, sag ma«, sage ich, »WARUM will ich nochma zu IKEA?«

»Du brauchst Blumentöppe«, sagt Frieda. »Und 'nen neuen Duschvorhang.«

»Ach ja, richtig«, sage ich, stehe auf, ziehe die Hose hoch, stoße dabei mit dem Ellenbogen das Mundwasser um, fluche, stelle das Mundwasser wieder hin, wasche mir die Hände, drücke die Klospülung und rufe: »Los!«

Sechs Stunden später schieben wir einen Einkaufswagen von der Größe eines Kleintransporters über den Parkplatz vor IKEA in Lichtenberg. Wir brauchen unser beider Körperkraft, um das Metallgefährt zu Friedas Auto zu bugsieren. Friedas Auto ist klein und rot und hat zwei Türen. Kurz habe ich die Vision, dass das Auto ängstlich schluckt, als wir um die Ecke biegen.

Wir laden in den Kofferraum: drei große Blumentöpfe mit Untersetzer, ein kleines Regal fürs Bad, einen Schreibtischstuhl für Paul, einen Satz tiefe Teller, Sitzkissen für die Stühle in der Küche, einen Satz flache Teller, zweimal Bettwäsche weiß, vier Spannbettlaken in den Farben Blau, Weiß, Rot und Schlamm. Und eine Blumenvase. »Brauchst du die?«, hat Frieda mich an der Kasse gefragt. »Nein«, hab ich gesagt, »aber ich will sie haben.«

»Sitzkissen sind was für Leute, die ihren Arsch nicht dabeihaben«, sagt Frieda.

»Na ja, guck mich an«, sage ich und packe die Kissen zwischen die Teller ins Auto.

»Jetzt krieg ich aber eine Zigarette«, sagt Frieda und macht den Kofferraum zu.

»Frieda!«, sage ich und gucke sie an.

»Was?!«, fragt Frieda.

»Frieda!«, sage ich. »Wir haben den Duschvorhang vergessen!«

Frieda sieht aus, als wolle sie jetzt gerne irgendwas kaputtmachen.

Ich gehe ihr eine Zigarette schnorren. Frieda raucht ja nicht mehr. Eigentlich. Wie alle meine Freundinnen.

Als wir uns durch die Drehtür schieben, schlägt uns erneut der Geruch von Hot Dogs und Kiefernholz entgegen.

»Hach!«, sagt Frieda. »Jetz erst mal Kötbullar und Apfelstrudel! Und aufm Rückweg können wir gleich noch ein paar Teelichte einpacken!«

Die Bäume
in der Hufelandstraße

Ich sitze in einem Strandkorb und blicke auf das Haus, in dem ich den größten Teil meiner Kindheit verbracht habe: Hufelandstraße 26, Ecke Bötzowstraße, mitten in Prenzlauer Berg, dem Zentrum der Gentrifizierung. Die Straße gilt als Paradebeispiel innerstädtischen Strukturwandels nach der Wende.

Die Fassade des Hauses ist jetzt lindgrün, sie haben Stuck drangeklebt, aber die Haustür ist dieselbe wie 1986, als meine Eltern und ich in die Wohnung einzogen, am 20. Februar bei fünfzehn Grad minus und einem Meter Schnee.

»Das war alles in dem Jahr«, hat meine Mutter mir erzählt. »Der Umzug, deine Einschulung, Tschernobyl.«

Mein Vater rutschte beim Kistenschleppen auf einer vereisten Pfütze aus und prellte sich das Steißbein. Er konnte zwei Wochen lang nicht sitzen.

Ich fand die Wohnung einfach nur scheußlich, besonders am Anfang. Beletage, erster Stock. Zu groß, zu dunkel, zu hoch.

Mir gehörte ein riesiges Berliner Zimmer mit Fenster zum Hof. Unten im Haus war ein Friseur. Der Damenfrisiersalon *Modische Linie*. Dessen Lüftungsanlage befand sich genau unter meinem Kinderzimmerfenster. Den Geruch habe ich bis heute in der Nase.

Eltern mit kleinen Kindern laufen an meinem Strandkorb vorbei. Sie sprechen Englisch, Italienisch, Französisch.

Anfang der Neunziger zog Natalie in die Wohnung gegenüber. Natalie war Ende zwanzig, Studentin, Französin und wunderschön. Sie hatte eine kleine Tochter, Elena, deren Babysitterin ich wurde. Natalie brachte mir bei, wie man Augenbrauen zupft und Beinhaare epiliert. Als ich zum ersten Mal verliebt war, gab Natalie keine Ruhe, ehe sie den Knaben gesehen hatte. Das machte sie ganz subtil. Sie steckte den Kopf ins Kinderzimmer und flötete: »Hallo, ich bin die Nachbarin«, während der Junge verunsichert auf dem Boden vor dem Plattenspieler kauerte.

Der Hinterhof war eine Stein gewordene Tristesse. In der Fassade klafften die Einschusslöcher der Häuserkämpfe von 1945, darunter Mülltonnen, eine Teppichstange und ein mickriges, spindeldürres Bäumchen, das sich tapfer dem Licht entgegenstreckte.

Auf der anderen Seite vom Hof wohnte Ronny, der sah schon damals aus wie ein Nazi. Der stellte im Sommer immer die Boxen seiner Stereoanlage ins Fenster. Damit auch alle was davon hatten. Ronnys Mutter, eine blondierte Schönheit, verbrachte die Abende meist im *Bötzowstübl*. Das war die Altberliner Eckkneipe in der Bötzowstraße, die ihre Lüftung ebenfalls auf den Hof raus hatte. Der Duft meiner Kindheit ist ein Friseur mit Kneipenbetrieb. Wenn Ronnys Mutter nach Hause kam, stellte sie sich in den Hof und sang aus vollem Hals *Ein-*

mal um die ganze Welt und die Taschen voller Geld, den Schlager von Karel Gott. Wo früher die *Modische Linie* war, ist heute ein asiatisches Restaurant, im ehemaligen *Bötzowstübl* ist ein Coffeeshop.

In die Wohnung über uns war damals gleichzeitig mit uns Familie Reuter eingezogen, die hatten drei Kinder. Die älteste, Michelle, war so alt wie ich. Zusammen spielten wir Schweinebammel an den Teppichstangen im Hof. Frau Reuter arbeitete im Bäcker auf der anderen Straßenseite, da, wo heute das Café drin ist, vor dem der Strandkorb steht, in dem ich jetzt gerade sitze.

Nach der Wende zogen Reuters in ein Haus am Stadtrand, in ihre Wohnung zogen lauter gutaussehende Studenten. Ich war siebzehn und fand das sehr aufregend. Meine Mutter nicht so.

»Oh nee!«, rief sie, »Studenten! Die ziehen bestimmt die Dielen ab.« Sie schrieb gerade ihre Habilitation und war etwas geräuschempfindlich. Eine Woche später setzten die Schleifmaschinen ein.

Die Tür des Hauses Hufelandstraße 26 steht offen, stelle ich fest, als ich aufblicke. Jemand muss vergessen haben, sie zuzuziehen.

Ich bezahle schnell meinen Kaffee, packe meine Sachen zusammen, laufe über die Straße und schlüpfe mutig hinein in das Haus meiner Kindheit.

Der Hof ist genauso hässlich wie damals. Nur die Mülltonnen sind jetzt bunt und dreimal so zahlreich. Und die Belüftungen haben Rohre, die den Gestank nach oben ableiten. Es stinkt auch anders. Asiatisches Essen und Latte macchiato statt Kneipe und Friseur. Prenzlauer Berg eben. Früher und heute. Der komische Kronleuchter im Treppenhaus ist auch noch derselbe wie Mitte der Neunziger, als sie das Treppenhaus sanierten und das klassische Berliner Ochsenblut an den Wohnungstüren durch ein neumodisches Babydurchfallbraun ersetzten. Dafür versperren jetzt Kinderwagen statt Fahrrädern den Weg.

Ich mache Fotos mit meinem Handy und komme mir vor wie ein Stasispitzel.

Frank, der Friseur, hat mir mal erzählt, er sei irgendwann Mitte der Achtziger auf einer Fete in der Hufelandstraße gewesen, vielleicht sogar bei uns im Haus. »Da wohnte 'ne Frau, die war Model«, sagte Frank, »in so 'ner riesigen Wohnung mit Erker. Und in dem Erker, ditt weeß ick noch, stand so 'n überdimensionaler Ficus Benjamin, sowatt hatte damals jeder. Die Frau is denn rüber inn Westen kurz danach.« Während Frank erzählte, erinnerte ich mich, dass damals 1986 noch eine dritte Familie frisch eingezogen war. »Stasi«, hatte meine Mutter gesagt, hinter vorgehaltener Hand, aber natürlich nicht zu mir, ich hätte es ja doch gleich wieder in der Schule erzählt. Erzählen konnte ich immer gut.

Meine Eltern hatten die Wohnung im Tausch gegen unsere Altneubauwohnung in Adlershof bekommen. Ich wäre viel lieber da geblieben. Mein Kinderzimmer dort war lichtdurchströmt, ganz oben, der Spielplatz direkt vor dem Haus.

Als ich die Wohnung das erste Mal sah, wohnten da noch die Vormieter. Im Osten gab es keine Makler und keine Immobilienseiten im Internet. Man tauschte Wohnungen. Meine Eltern wollten eine größere Wohnung, unsere Vormieter suchten eine kleinere; meine Eltern wollten Altbau, die Vormieter lieber Neubau; sie wollten aus dem Zentrum raus, wir ins Zentrum rein.

Alles an der neuen Wohnung war großzügig. Vier Meter hohe Räume, Stuck an der Decke, Parkettfußboden. Aber die Vormieter, nennen wir sie Fitzners, hatten im Wohnzimmer, das durch Flügeltüren Richtung Arbeitszimmer sogar auf doppelte Größe erweitert werden konnte, auf Brusthöhe eine Holzvertäfelung angebracht, die dem vormals ballsaalartigen Raum das Flair einer Bahnhofskneipe verlieh.

Um dem Ganzen gewissermaßen den Kronkorken aufzusetzen, waren oben, auf dem Sims der Vertäfelung, zur Dekoration Büchsen drapiert. Bierbüchsen. Eine Dose DAB-Bier, eine Dose Becks, eine Dose DAB-Bier, eine Dose Becks, immer abwechselnd. Fitzners waren jedenfalls nicht bei der Stasi. Im Osten gab es nämlich kein Büchsenbier. Auch wenn Egon Krenz, der letzte Staats- und Parteichef der DDR, das offenbar vergessen hatte, als er Ende 1989 in einem Rundfunkinterview gefragt wurde, wie er als Staatsoberhaupt denn seinen Feierabend gestalte: »Na, das Gleiche, was ein ganz normaler Arbeiter auch macht. Ich setze mich auf die Couch, sehe fern und trink 'ne Dose Bier.«

In der Hufelandstraße holte die Stasi gleich nach unserem Einzug 1986 Erkundigungen über uns ein.

Frau Petersen, die alte Dame in der Wohnung schräg über uns, erzählte es uns gleich brühwarm am nächsten Tag: »Ick hab denen jesacht, ditt sind ruhige Leute.«

Man muss dazu wissen, dass Frau Petersen halb taub war. Nach dem Polterabend meiner Eltern mit Freejazz-band und hundert Gästen, bei dem ein ganzer Porzellanladen auf dem Treppenabsatz zerschmettert worden war, empörte sie sich regelrecht am nächsten Morgen. »Wir ham janischt jehört«, sagte Frau Petersen. »Ick hab schon zu mein Mann jesacht: Die müssen wa ma rischtisch feiern lernen!«

Ich muss lachen, als ich daran denke.

»Entschuldigen Sie, was MACHEN Sie hier eigentlich?«, sagt plötzlich eine Stimme hinter mir.

Ich drehe mich um. Vor mir steht eine Frau in meinem Alter mit Kleinkind auf dem Arm.

»Entschuldigung«, sage ich, »ich habe hier mal gewohnt.«

»Ach so«, sagt sie und setzt das Kind in einen der Kinderwagen. »Ich dachte schon, sie wollten das Haus kaufen.«

»Ahahaha«, lache ich und folge ihr auf die Straße.

Zwei Frauen laufen an mir vorbei, als ich mein Fahrrad abschließe. Sie riechen teuer und sehen aus, als wären sie hier zu Hause. »Das ist dynamisch, das ist lebendig«, sagt die eine, »das sind nette, angenehme Leute.« Sie sagt »Loite«. Ihre Freundin ist schwanger.

Langsam rolle ich auf dem Fahrrad die Straße runter, vorbei an der Apotheke Hufeland-/Ecke Esmarchstraße. Die war bis zur Jahrtausendwende auf der gegenüberliegenden Straßenecke, einmal diagonal über die Kreuzung rüber. Die Apotheker hatten nach dem Umzug bestimmt Orientierungsprobleme. Stellt euch das vor! Da kommt man morgens zur Arbeit, und plötzlich ist alles seitenverkehrt.

Genau so müssen meine Eltern sich gefühlt haben, als sie am Morgen nach der Währungsreform 1990 in den Konsum kamen. Der war gegenüber der Apotheke. Sämtliche DDR-Produkte waren aus den Regalen verschwunden und durch Westsachen ersetzt worden. »Das war, als wär man im falschen Film«, hat meine Mutter erzählt.

Der Konsum wurde zum Spar-Markt, die Verkäuferinnen blieben dieselben. Aber weil wir jetzt Westen hatten, mussten sie plötzlich lächeln und »Guten Tag!« sagen. Papa sagt, das Schöne war, dass sie die Höflichkeitsfloskeln im gleichen Tonfall und mit genau dem gleichen Gesichtsausdruck vortrugen wie früher das »Ham wa nich, kriegn wa nich. Imma wieda reinschaun, imma wieda nachfragn!«.

Ich fahre weiter bergab über das Kopfsteinpflaster. Fürchterliches Zeug. Deswegen sind wir als Teenager schon immer auf dem Bürgersteig Fahrrad gefahren. Meine Freundin Annemarie wohnte in der Nummer 6, sie war mit Michelle zur Grundschule gegangen. Wir hatten uns beim Schweinebammeln kennengelernt, und später gingen wir aufs selbe Gymnasium. Annemarie holte mich jeden Morgen pünktlich um halb acht zu Hause ab, aber seit wir zusammen gingen, kam sie nie wieder pünktlich zur Schule. Annemaries Eltern trennten sich wie meine und zogen auseinander. Sie wohnt heute in Pankow wie ich.

Als wir Anfang 1986 hierher zogen, war die Straße noch gesäumt von Linden, die waren so alt wie das Jahrhundert, genauso wie die Häuser.

Ende April fuhren wir an die Müritz. Ich sollte im September eingeschult werden. Es war das letzte Mal, dass meine Eltern außerhalb der Ferien mit mir wegfahren konnten. Als wir wiederkamen, blühten überall in der Stadt die Bäume. Der Volkspark Friedrichshain war grün wie eine Oase. Nur die Linden in der Hufelandstraße waren kahl. Abgestorben. Haushohe, tote Bäume auf beiden Seiten der Straße. Wie die Kulisse zu einem Endzeitfilm.

Drei Tage zuvor war in Tschernobyl der Reaktor Nummer vier in die Luft geflogen. Beinahe hätten wir es überhaupt nicht mitgekriegt. An der Müritz gab es solche Nachrichten nicht. Papa hat sich nur aufgeregt, dass die »scheiß Ostpresse« lediglich die Hälfte der Teilnehmer der Friedensfahrt auflistete, des großen Radrennens an der deutsch-polnischen Grenze. Dass die westlichen Teilnehmer aus Angst vor radioaktiver Strahlung abgesagt hatten, stand nicht in der Zeitung.

Meine Mama freute sich über den tollen Salat, den es plötzlich überall zu kaufen gab. Zum Glück kam Onkel Lukas uns besuchen und erzählte, was passiert war. In diesem Urlaub mussten wir keinen Salat mehr essen.

Zwei Wochen später fuhren wir nach Hause. Meine Mutter hat mir erzählt: »Wir kamen mit unseren Koffern und Rucksäcken von der Bushaltestelle in der Greifswalder, bogen in die Hufelandstraße ein und blieben stehen wie vom Donner gerührt.«

Meine Eltern hatten schon Angst, die radioaktive Wolke sei genau über unserem neuen Zuhause niedergeregnet. »Et wusste ja keiner, watt Sache is«, hat Mama mir später gesagt.

Sie ist dann sogar zu einer Bürgerversammlung im Vorfeld der Volkskammerwahl gegangen, die im Juni 1986 stattfinden sollte. Meine Mutter setzte sich da hin, meldete sich dann und stellte dem Genossen die Frage, was denn mit den Bäumen in der Hufelandstraße passiert sei.

»Erst wurde es totenstill«, erzählte meine Mutter. »Und dann fing der Genosse da vorne an zu reden: Vom Frieden. Vom Weltfrieden. Vom Weltfrieden im Allgemeinen und im Besonderen. Von der Bedeutung des Sozialismus für den Weltfrieden. Und über den Beitrag der Sozialistischen Einheitspartei Deutschlands zum Weltfrieden. Über die Bäume verlor er kein Wort.«

Erst nach der Wende wurde öffentlich, was damals passiert war: Die Gasversorgung im gesamten Bötzowviertel war 1986 von Stadtgas auf Erdgas umgestellt worden. Weil Erdgas aber trockener ist als Stadtgas, wurden die Muffen undicht und das ganze giftige Zeug trat ins Erdreich aus. Durch die Hufelandstraße verlief die Gashauptleitung, deswegen sind bei uns die Bäume kaputtgegangen, in den anderen Straßen nicht. Als die Linden Monate später gefällt wurden, konnte man sehen, dass alle Wurzeln verfault waren.

Die Gasleitungen wurden erneuert. Anstelle der Bäume wurden Riesenblumentöpfe aus Waschbeton auf die Bürgersteige gestellt, die nur Platz wegnahmen und in denen jede Pflanze sofort verdorrte.

Nach der Wende pflanzte man in der ganzen Straße Platanen.

»Die sind widerstandsfähiger als Linden«, hat Mama gesagt, »aber auch die wurden nie gegossen.« Nur meine Mama hat sich des Bäumchens vor unserem Haus angenommen und ist selbst in der größten Hitze jeden Tag mit einem Eimer Wasser die Treppe runtergestiegen und hat ihn an dem Setzling ausgekippt. Jeden Sommer. Und noch heute ist die Platane vor der 26 die größte und kräftigste von allen Bäumen in der Hufelandstraße.

Trainspotting

Seit einigen Wochen schon, seit die Temperaturen sich mühsam in den positiven Grad-Celsius-Bereich hochgearbeitet haben, geraten einem auf den Fahrradwegen durch die Parks dieser Stadt wieder ständig diese hechelnden Menschen zwischen die Speichen: Jogger.

Keuchend und schweißsprühend dauerlaufen sie einem entgegen, mit wippenden Pferdeschwänzen und wackelnden Popos. Sämtliche Sitzgelegenheiten werden zu Halterungen für Dehnungsübungen entfremdet, und hinter jedem Busch kommt ein verschämt grinsender Mensch hervor, der die isotonischen Erfrischungsgetränke nicht mehr halten konnte.

Als ich klein war, sind wir in den Park gegangen, um zu spazieren, auf Spielplätzen wurde gewippt und geschaukelt, und als Teenager saßen wir abends in den Parks und spielten Woodstock. Heute wird in Grünanlagen nur noch gerannt.

Bei schönem Wetter setzen Paul und ich uns bisweilen abends mit einem Bier in den Bürgerpark, auf eine Bank an der Panke, und prosten den Joggern zu, die vorbeikommen. Manchmal zählen wir laut die Runden mit, die sie zurückgelegt haben. Wir finden das sehr lustig.

»Vielleicht«, sagt Paul, »ist das aber auch ein Ausgleich für das Umherschleichen mit den Kinderwagen.« Er unterdrückt einen Rülpser. »Das sind doch bestimmt alles dieselben jungen Eltern, die tagsüber neben ihren anderthalbjährigen Caspar-David-Friedrichs und Anna-Sophie-Charlottes herschleichen müssen, weil die Kinder gerade laufen gelernt haben und deshalb nicht gefahren werden wollen.«

»Nee«, sage ich, »meine Mutter hat nie gejoggt, und ich bin die größte Trantüte von allen.«

»Na, wegen deinem Gehfehler!«, sagt Paul. Er meint meine Behinderung. Infantile Zerebralparese. Mein linkes Bein ist ein bisschen kürzer und nicht so beweglich wie das rechte. Wahrscheinlich durch Sauerstoffmangel bei meiner Geburt passiert.

»Na ja, nee«, sage ich.

»Deine Schlafmützigkeit hat nichts mit deiner Behinderung zu tun«, hat meine Mutter immer gesagt. »In der Beziehung biste einfach meine Tochter. Ick war immer die Letzte in der Umkleide.«

Ich auch! Und ich war auf einer Körperbehindertenschule in einer Klasse mit zwei Rollstuhlfahrern, einem Herzkranken, zwei Epileptikern und einer Kleinwüchsigen. Die restlichen Kinder hatten ähnliche Behinderungen wie ich, nur schlimmer, und trotzdem war ich immer die Letzte. Ich war auch die Schlechteste.

»Ich bin dermaßen unsportlich, dass ich auf der Körperbehindertenschule auf dem Zeugnis in Turnen eine Vier hatte«, sage ich zu Paul. »Das muss man sich mal vorstellen!«

»Wahnsinn«, murmelt Paul.

»Vielleicht könnte ich die heute wegen Diskriminierung drankriegen«, überlege ich laut.

»Mhm«, brummt er in den Flaschenhals, saugt den letzten Rest Bier heraus, schluckt, rülpst und sagt: »Viel Spaß dabei!«

In der fünften Klasse bin ich im Sportunterricht sogar verunglückt. Hüftaufschwung am Barren, der Alptraum aller Orthopäden. Nach nur drei Mal Schwung holen lag ich schreiend unter dem Barren auf der Matte, statt elegant oben auf der Stange zu sitzen. Zerrung in der Schulter, zwei Wochen kein Sportunterricht.

Meine Mutter hatte es als Kind bei derselben Übung sogar zu einem richtigen komplizierten Splitterbruch im Ellenbogen gebracht. Sie brauchte danach ein Jahr lang keinen Sport mehr mitmachen, die Glückliche!

Sie hat bis heute einen Metalldraht im Ellenbogengelenk. Mit dem treibt sie manchmal die Zollbeamten in den Wahnsinn, wenn sie am Flughafen noch eine Weile Zeit hat, bis der Flieger startet. Dann ist ihr nicht so langweilig. Dreimal lässt meine Mutter sich abtasten und durchleuchten, dann schlägt sie die Hand vor die Stirn und sagt: »Ich Idiotin! Ich hatte doch diese OP vor fünfzig Jahren!«

»Ist noch Bier da?«, frage ich Paul.

Er kramt im Rucksack und fördert zwei weitere Flaschen zutage. Unsere Parkbank ist mittlerweile eine kleine Altglassammelstelle. Drei leere Flaschen haben wir schon.

Die Dämmerung ist unterdessen weit fortgeschritten. Die Vögel machen Radau. Fledermäuse huschen lautlos zwischen den Büschen umher. Ein Enterich steigt gemächlich aus dem Wasser und watschelt den kleinen Hang herauf, bis er keine zwei Meter neben uns auf dem Weg steht. Er würdigt uns keines Blickes und starrt wie gebannt in die andere Richtung, aus der es leise schnattert.

In der ersten Klasse haben sie mich zur Kur geschickt. Sechs Wochen! Ganz alleine! Das war die bis dahin definitiv schlimmste Zeit meines Lebens, einschließlich der Geburt, die dauerte nur drei Stunden. Ich sollte ein bisschen Speck auf die Rippen kriegen, der Heuschnupfen sollte kuriert werden, und außerdem wollten sie sich meines Beinchens mal annehmen. Ich nahm drei Kilo ab und wurde nach nur vier Wochen mit halber Lungenentzündung nach Hause geschickt.

Man hatte mich mit zwei sechzehnjährigen Mädchen in ein Zimmer gesteckt. Weil die auch Körperbehinderungen hatten. Die ganzen gleichaltrigen Kinder sah ich nur zu den Mahlzeiten und zum Fernsehgucken. Abends liefen damals immer *Flipper* und *Black Beauty* im ZDF. Westfernsehen! Das durften alle 150 Kurkinder gemeinsam auf dem winzig kleinen Schwarzweißfernseher gucken, der in einer Ecke des Speisesaals an der Wand montiert war. Damals hab ich gelernt, dass das Fernsehen eine Zuflucht sein kann und in finsteren Stunden dein bester Freund.

Am schlimmsten waren die Heilanwendungen.

Jeden Tag wurde ich begraben in heißem, schwarzem Schlamm, der aussah wie »Tote Oma«, diese Blutwurst aus der Schulspeisung, die kein Kind, das nur halbwegs bei Verstand war, jemals gegessen hätte.

Und einmal am Tag war Krankengymnastik. Stellt

euch den schlimmsten Schmerz vor, den ihr je erlebt habt, und multipliziert ihn mit drei, dann wisst ihr, was Krankengymnastik bedeutete. Die Orthopädie folgte damals noch dem Prinzip des »geraden Menschen«. Was nicht passte, wurde passend gemacht. Die Körper der Behinderten sollten so weit wie möglich der Norm entsprechen, egal wie schmerzhaft die dafür nötigen Prozeduren für die Betroffenen (meist Kinder) waren.

Meine schrecklichste Tortur weiß ich bis heute: Ich liege auf dem Rücken, die Knie sind aufgestellt, Füße zusammen, die Hacken berühren den Hintern. Dann kommt die Physiotherapeutin und drückt mir die Knie auseinander. Bis auf den Boden. Jeden Tag eine Dreiviertelstunde. Ich krieg heute noch das kalte Kotzen, wenn ich daran denke!

»Ich hab echt keine Ahnung, warum irgendjemand freiwillig Sport machen sollte«, sage ich zu Paul.

Er reagiert nicht. Es ist unterdessen ganz dunkel geworden.

»Paul?«

»Ja«, murmelt er, und seine Stimme klingt heiser. »Mir ist ein bisschen übel.« Er steht auf und streckt sich. Dann sagt er: »Los komm! Lass uns Schnaps trinken gehen. Auf die Gesundheit!«

Der coole Hund

Bei uns um die Ecke, ein paar Häuser weiter im Erd-geschoss rechts, in einer der billigen Einzimmerwoh-nungen, wohnt die Raucherin. Sie ist irgendwas zwischen vierzig und fünfzig Jahre alt, sieht aber älter aus, weil sie so dünn ist. Sie hat keinen Balkon an ihrer Wohnung, deswegen raucht sie zum Fenster raus. Wir grüßen uns immer freundlich, wenn ich vorbeikomme.

Gestern Abend schließe ich gerade mein Fahrrad an, da kommt eine Mutter mit drei Kindern die Straße ent-lang, die Kinder alle irgendwas zwischen fünf und zehn Jahre alt, die Mutter sieht aus wie fünfundzwanzig.

»Ruhe jetze! Keinen Ton will ick hörn!«, schnauzt sie die Kinder an, als der kleine Tross vor dem Haus an-kommt, wo die Raucherin im Fenster lehnt und guckt. Sie hat sich ein Kissen drunter gelegt. Das ist bequemer.

»Tach, wie jeht's denn?«, sagt die Mutter zur Rauche-rin.

»Joa«, sagt die Raucherin, »muss ja.« Was man eben so sagt.

Die Mutter steckt den Schlüssel ins Haustürschloss und hält inne. »Samma«, sagt sie plötzlich und guckt zur Raucherin nach oben, »wie alt bist du eigentlich?« Die

Raucherin, erstaunt über die Frage, richtet sich im Fenster auf. Die junge Mutter fragt nach: »Vierzig?«

Die Raucherin wiegt den Kopf hin und her. »Noa«, sagt sie, »bisschen drüber.«

»Hast du 'n Mann eigentlich?«, fragt die junge Frau weiter.

»Im Moment grad nich«, sagt die Raucherin.

»Na«, sagt die Jüngere, »ick ooch nich. Meiner is grade in Knast. Arschloch!«

Mit diesen Worten ist alles gesagt. Die junge Mutter schließt die Haustür auf, scheucht ihre Kinder hinein und sagt: »Na denn. Jute Nacht!«

»Nacht!«, antwortet die Raucherin. Nachdenklich gehe ich nach Hause.

Ich habe ja damals auch mit dem Rauchen angefangen, weil mich ein Mann verlassen hat. Nicht gerade, um in den Knast zu gehen. Die Verliebtheit war plötzlich einfach weg. Das war traurig. Fünf Monate und fünf Tage waren wir zusammen. Meine erste große Liebe. Militante Nichtraucher sind wir gewesen, alle beide. Und dann war Schluss und die Ferien waren vorbei und wir trafen uns in der Raucherecke auf dem Schulhof wieder. So was Albernes! Ich war siebzehn.

Meine Tante Erna hat als Kind schon angefangen. Mit zwölf oder so. »Seit wann rauchen Sie denn schon?«, hat die Ärztin gefragt, als Tante Erna vor ein paar Jahren die schlimme Bronchitis hatte, und Tante Erna hat wahrheitsgemäß geantwortet: »Eigentlich schon immer.«

Und dann hat sie aufgehört. Mit Anfang sechzig. Seitdem mussten Paul und ich auf dem Balkon rauchen, wenn wir zu Besuch kamen.

»Ja, Kinderchen, raucht mal!«, rief Tante Erna dann immer. »Raucht so viel und so lange, wie ihr könnt! Das ist ja so was Schönes.«

Und dann hab ich aufgehört. Mit Anfang dreißig. Jetzt steht Paul allein auf dem Balkon.

Eigentlich bin ich ja total glücklich, dass ich nicht mehr rauche. Ich habe einfach ein paar Termine weniger. Was das für ein Stress früher war, mitten in der Nacht todmüde und volltrunken durch die verlassensten Straßen der Stadt zu wanken, um an der letzten Tanke vor der Autobahnauffahrt noch ein Päckchen Tabak zu bekommen! Mit was für Vollspacken ich mich auf irgendwelchen sterbenslangweiligen Partys unterhalten habe, nur um mit Zigaretten versorgt zu werden. Das ist vorbei. Zum Glück.

Was wieder da ist, ist mein Geruchssinn. Ich rieche alles! Das kann sehr schön sein. Wenn Tante Erna zu Weihnachten die Gans aus dem Ofen holt. Wenn die Haut des Liebsten im Sommer nach Salz und Sonne duftet. Wenn im Herbst im Wald die Pilze aus dem Boden schießen. Dann ist es schön, gut riechen zu können, wie es auch schön ist, selbst gut zu riechen, was ja auch mit dem Nicht-mehr-Rauchen einhergeht.

Aber manchmal ist es echt übel. Zum Beispiel, wenn man mit dem gutriechenden Mann ins Kino geht, um sich einen duften Film anzugucken, und dann sitzt man da und spielt das Kinowerbung-raten-Spiel (»Marlboro«, sagt der Mann, »Langnese«, sage ich, und am Ende war es Toyota).

Und plötzlich geht die Tür auf und zwei weitere Leute kommen herein. Ein Pärchen Anfang, Mitte zwanzig,

Junge und Mädchen. Man kann den Unterschied nicht sehen. Beide haben schulterlange, filzige Haare. Beide tragen sackartige Kleidung am Körper. Und in dem Moment, als sie sich auf die freien Plätze neben uns setzen, kann ich sie riechen. Direkt neben mir sitzt der Junge, dahinter das Mädchen. Beide schonen die Umwelt, indem sie Wasser und Seife sparen.

Der Film auf der Leinwand ist vergessen, in meinem Kopf hat längst mein persönlicher Horrorfilm angefangen. Es ist eine Wiederholung. Ich grusele mich trotzdem. Schulsport, achte Klasse, Jungsumkleide: Katharina hatte die Hand in der Hose von Kevin und ich mich in der Tür geirrt. Das Wort »Talgdrüse« erscheint vor meinem inneren Auge, riesengroß, in hellgelben Lettern, die sich aufblähen und zu platzen drohen.

»Können wir bitte Plätze tauschen?«, frage ich Paul. »Okay«, sagt er. Er raucht ja noch. Der Glückliche.

Ein anderer Nachteil, wenn man mit dem Rauchen aufhört, ist der, dass man im Winter sein Fahrradschloss nicht mehr aufkriegt. Früher hab ich einfach mit dem Feuerzeug den Schlüssel erhitzt, und der hat dann das Eis im Schloss geschmolzen.

Nach dem Ende meiner Raucherkarriere stand ich dann doof da, wie zum Beispiel letzten Winter vor dem Haus der Raucherin, wo das Kettenschloss mit dem Fahrrad und der Laterne, an der ich es angeschlossen hatte, eine eisige Verbindung eingegangen war.

Mein Fahrrad ist mein wichtigstes Hilfsmittel. Dank ihm bin ich so schnell und so beweglich wie alle anderen. Und außerdem unabhängig: von Busfahrplänen, Bahnstreiks und meiner eigenen Behinderung. Ohne mein

Fahrrad bin ich geliefert. Deshalb kommt die Benutzung öffentlicher Verkehrsmittel für mich unter fünfzig Zentimeter Neuschnee überhaupt nicht in Frage. Da ist ein vereistes Fahrradschloss kein Grund zum Laufen.

Ich legte meine Lippen auf den Schlitz für den Schlüssel und pustete kräftig. Nichts passierte. Ich überlegte, ob ich doch umdrehen, nach Haus laufen und ein Feuerzeug holen sollte. Wo war die Raucherin, wenn man sie mal brauchte? Sie würde mir sicher ihr Feuerzeug leihen.

Plötzlich ohrenbetäubendes Kreischen irgendwo ganz in der Nähe.

»Die Autowerkstatt!«, sagte ich laut.

Eine Straße weiter von da, wo ich wohne, befindet sich eine Autowerkstatt. Die macht manchmal Lärm und hat den coolsten Hund der Welt. Der sieht ein bisschen aus wie ein schwarzes Schaf und spaziert immer arschwackelnd und federnden Schrittes die Straße entlang, als gehöre das in Wirklichkeit alles ihm und wir dürften überhaupt nur da wohnen, weil er so ein cooler Hund ist.

»Hallo, is da jemand?«, rief ich in den Innenhof. Die Autowerkstatt ist ein flacher Bungalow mit mehreren angebauten Garagen und erstaunlich vielen Türen. »Hallo?«

Nachdem ich durch drei Türen hindurchgestiegen war, stand ich wieder im Freien.

»Tach!«, sagte eine dunkle Stimme von hinten.

Ich drehte mich um. Vor mir stand eindeutig das Herrchen von dem coolen Hund. Zerfurchtes Gesicht, sehnige Unterarme, eine halb aufgerauchte Zigarette im Mundwinkel. Charles Bronson in *Spiel mir das Lied vom Tod* hätte nicht lässiger ausgesehen.

41

»Ja, hallo, mein Fahrradschloss ist zugefroren«, sagte ich, und meine Stimme klang plötzlich ganz piepsig.

»Mhmh«, machte Charles Bronson.

»Früher, als ich noch geraucht hab, hab ich immer den Schlüssel mit dem Feuerzeug heiß gemacht und ihn dann reingesteckt«, piepste ich.

»Soso«, sagte Charles Bronson und zog an seiner Zigarette.

»Hör auf zu reden!«, rief meine innere Stimme.

»Ja, aber jetzt hab ich kein Feuerzeug mehr. Weil ich nicht mehr rauche. Ich hab schon überlegt, den Schlüssel in den Mund zu nehmen.«

Meine innere Stimme war sprachlos.

Charles Bronson verschwand hinter einer der Türen und kam kurz darauf mit einer großen grünen Gießkanne wieder. Die trug er zum Waschbecken und ließ sie mit heißem Wasser volllaufen.

»Druffkippen!«, befahl er und reichte mir die Kanne. »Und denn bringste dit Schloss her, denn spritz ick dir watt rein.«

Zum Glück war es so kalt, dass er nicht sah, wie rot ich wurde, weil ich vorher schon rot war vom Frieren.

Manchmal, ganz selten, überlege ich, ob es nicht würdevoller wäre, mit dem Rauchen wieder anzufangen.

Körper und Sprache

Letzten Sonntag hat unser kleines Trinkerkollektiv wieder bis tief in den Montag hinein gefeiert und getanzt, und einige von uns haben danach sicher eine neue Generation gezeugt. Diejenigen, die nicht zum Zeugen gekommen sind, mussten alleine nach Hause gehen. Ich hab mich von meinem Kumpel Hannes zur Bushaltestelle bringen lassen.

»Die hat den ganzen Abend mit mir geflirtet«, klagt Hannes, »und am Ende erzählt sie dann: ›Ich habe einen Freund!‹«

»Das werden Männer nie begreifen, dass manche Frauen einfach nur zum Tanzen tanzen gehen!«, sage ich.

»Ja. Du bist genauso eine!«, schimpft Hannes. »Mit dir wollten doch auch alle schlafen!«

»Das kommt, weil ich so schön bin«, sage ich, »und daher, dass wir in einer Disko waren. Da will jeder mit jedem schlafen. Darum geht es doch!«

»Also gibst du es zu«, sagt Hannes, »es geht um Sex.«

Hannes ist mein bester Freund. Wir kennen uns fast so lange wie Frieda und ich. Wir lieben uns sehr. Und wir würden niemals was miteinander anfangen. Es gibt Türsteher in Berlin, die halten uns für Geschwister.

»Mit mir wollte keiner schlafen!«, sagt Hannes.

»Och, Hannes!«, sage ich. »Woher willst du denn das wissen? Hast du überhaupt jeden gefragt?«

»Nein!«, schnieft Hannes.

»Na, siehst du!«, sage ich. »Die Dragqueen mit den großen Brüsten, die hätte bestimmt mit dir geschlafen …«

»Die wollte ich aber nich!«, heult Hannes. »Ich wollte die kleine Spanierin, die aussah wie Amy Winehouse. Aber die wollte mich nicht.« Und mit neubeflügeltem Selbstmitleid schmettert er »Keiner will mit mir schlafen!« über die verlassene Straße.

»Nun hab doch mal Erbarmen und nimm ihn mit zu dir nach Hause, damit wir hier endlich schlafen können!«, hallt von weit oben eine fremde Stimme zu uns hernieder. Im dritten Stock des Hauses, vor dem sich die Bushaltestelle befindet, hat jemand seinen Kopf aus dem Fenster gehängt.

»Seit zehn Minuten höre ich mir hier euer Vorspielgelaber an«, sagt der Kopf. »Könnt ihr nicht einfach knutschen? Das ist wenigstens leise!«

»Nee«, sage ich, »das geht ja nicht, ich habe doch einen Freund.«

Hannes' Weinen hallt von den Wänden wider.

Eine Woche später. *Alte Kantine*. Im Grunde ist alles wie immer. Fast.

»Ich werde nur noch halb so viel angemacht!«, heule ich. »Bloß, weil die Haare ab sind! Arschlöcher!«

»Du bist trotzdem die Schönste hier«, sagt Hannes. Er ist ein echter Gentleman.

»Guck mal, der da«, sagt er und zeigt auf den im gestreiften Pullover hinten rechts. Der war mir auch schon aufgefallen. »Los, ran da!«

»Mann, Hannes!«, sage ich genervt. »Ich habe einen Freund!«

»Na und?!«, sagt Hannes. »Ich denke, du willst nur tanzen! Haste doch letzte Woche groß verkündet!«

»Ach«, sage ich, »in Wirklichkeit halte ich davon ja nichts. Ich knutsche lieber gleich. War früher beim Flaschendrehen schon so. Diese ganze Frage-Antwort-Sache – völlig überbewertet!«

Hannes wackelt mit dem Kopf vor gespielter Empörung wie ein alter Opa, dann gibt er mir einen Kuss und verschwindet ins Gewühl.

»Hallo, du siehst sympathisch aus!«

Aus dem Nichts ist plötzlich dieses Paket Muskeln vor mir aufgetaucht.

»Ja, hallo!«, sage ich. »Du bist überhaupt nicht mein Typ.«

Das irritiert den Muskelmann so gar nicht, und ich hab nicht die Chuzpe, einfach wegzugehen.

Er beugt sich zu mir runter. Sein Bizeps ist so dick wie mein Hals.

»Kurze Haare bei Frauen is ja immer schwierig«, lässt er mich wissen, »aber dir steht dit!«

Ich glaube, er glaubt, das sei ein Kompliment.

»Arbeitest oder studierst du?«, fragt er weiter.

»Ich bin Schriftstellerin«, sage ich.

Er überlegt kurz. »Bist du auch Feministin?«, fragt er.

»Logisch«, sage ich, gespannt, was jetzt kommt.

»Ich bin nämlich Soziologe«, erklärt er.

»Ah!«, sage ich.

»Weißt du«, sagt er, »die Gesellschaft ist einfach nicht gemacht für das Matriarchat.«

»Nein?«

»Is doch klar!«, sagt er. »In Ländern, die für Frauenrechte eintreten, gehen die Geburtenraten zurück. Wir sterben aus!«

Irgendwann ist auch mal gut. Ich rufe um Hilfe: »Hannes!«

Hannes kommt angetanzt und zieht mich mit sich fort.

»Siehst du«, sage ich zu meinem besten Freund, »genau aus dem Grund knutsche ich lieber gleich. Das ist immer noch das Beste, was die meisten Leute mit ihren Mündern machen können.«

Aus der Reihe
Meine schönsten Unfälle –
Heute: Der Mantel

Einmal hab ich mir mit einem Mantel einen Zahn ausgeschlagen. Es war Herbst und kalt abends, und eine Freundin hatte mir deshalb ihren Mantel geliehen, den warmen mit den tiefen Taschen.

Ich schlurfe also so vor mich hin über den Helmholtzplatz, wo ich damals gewohnt habe, vorbei an einem Penner mit Hund.

»Haste 'ne Zigarette?«, fragt er.

»Nee, tut mir leid«, sage ich, »alle aufgeraucht!«

»Is doch unjesund, Mädchen!«, sagt der Penner väterlich. »Nächste Mal lässte mir eine übrig!«

Ich verspreche es, wünsche ihm eine gute Nacht und schlurfe weiter.

Da kommt mir so ein Typ entgegen, ein schnieker, mit Lederschuhen und Seidenkrawatte, und ich wundere mich, denn diese Geschichte ist mittlerweile gut zehn Jahre her, da hat man sich über solche Leute am Helmholtzplatz noch gewundert. Vor allem nachts. Normalerweise wurden die tagsüber in Bussen vorbeigekarrt, aus deren offenen Fenstern man bei schönem Wetter die mikrofonverstärkte Stimme irgendeines Stadtbilderklärers hören konnte, die Sachen sagte wie: »Dies ist der Helmholtzplatz, früher Hochburg der Regimegegner, heute Drogenumschlagplatz.«

»Jenau!«, brüllten wir dann immer und schlugen uns mit den flachen Händen in die Armbeugen, als wollten wir die vernarbten Venen auf den nächsten Schuss vorbereiten.

Der schnieke Typ sieht jedenfalls so aus, als hätte er den Anschluss an seine Reisegruppe verloren. Der Penner fragt auch ihn nach Zigaretten, aber der Typ antwortet gar nicht und hastet panisch weiter, und der Penner ruft ihm nach: »Schnell weg! Armut is ansteckend. Über Tröpfcheninfektion. Hamse jetz rausjefunden!«

Und ich muss lachen und drehe mich um, während ich laufe, was noch nie eine gute Idee war. Und da plötzlich liegt ein Stein im Weg oder ein Stäubchen oder irgendwas. Ich merke, wie mein Fuß sich unter diesen Stein hakt und hängen bleibt, während der Rest von mir weiter nach vorne laufen will, was aber nur mit beiden Füßen geht, wie ich deshalb mit dem anderen freien Fuß komisch in der Luft hänge, wie dann dieser eine Moment kommt, wo es ist, als könne man fliegen, gefolgt von dem Moment, in dem man merkt, dass das nicht stimmt.

Nun gibt es mehrere Möglichkeiten.

Erstens: Würde man es schaffen, den freien Fuß, der eben noch in der Luft hing, jetzt schnell nach vorne zu schleudern, dann endete die Szene einfach mit einem »Hoppala! Komisch gestolpert. Keiner hat's gesehen. Einfach weitergelaufen«.

Zweitens: Klappt das nicht, gilt es nun, sich auf den kommenden Bodenkontakt vorzubereiten. Knie beugen,

Arme vors Gesicht. Gibt ein, zwei Kratzer, Dreck und vielleicht einen Riss in der Jeans. »Hihi, war gar nichts!« sagen, aufstehen, Dreck abklopfen, zusehen, dass man wegkommt.

Und dann gibt es noch eine dritte Möglichkeit. Nämlich die, dass man weder die Füße hochkriegt noch die Hände, weil die Hände ganz tief in den Taschen eines geliehenen Mantels vergraben sind und sich nicht so schnell befreien können. Dann fällt man nach vorne. Wie ein Brett. Direkt auf die Fresse. Es ist einzig meiner Liebe zu guten Geschichten geschuldet, dass ich mich für Variante drei entscheide.

Mein Kopf beginnt zu summen. Es schmeckt nach Blut und Dreck in meinem Mund. Ich sehe eh keine Chance mehr, in Würde aus der Sache rauszukommen, deshalb denke ich: Wenn schon, denn schon!, brülle »Aua!« und fange an zu heulen.

»Mädchen, wat machste denn?!«, fragt der Penner, der plötzlich neben mir steht.

Sein Hund versucht mir das Gesicht abzulecken.

»Rotze, pfui!«, sagt der Penner.

Ich gucke ihn an. Er sieht auch nicht gerade verführerisch aus mit seinen schlechten Zähnen und dem verfilzten Haar. Seine Schnapsfahne weht sogar durch meine verrotzte Nase durch.

»So heißt der Hund«, erklärt er.

»Ach so!«, sage ich.

Der Mann versucht, mir beim Aufstehen zu helfen, aber ich will lieber noch ein bisschen sitzen bleiben.

»Tut dir der Kopp weh?«, fragt er.

Ich denke nach.

»Brauchst'n Krankenwagen?«, fragt er weiter. Offensichtlich kennt der Mann sich auch aus mit Stürzen.

Ich schüttele den Kopf. »Nee«, sage ich unsicher. »Ich glaub, 's is nur die Lippe.«

Der Mann sieht mir prüfend ins Gesicht, dass sein Atem mir meinen raubt.

»Die is aufjerissen«, konstatiert er fachmännisch. »Mach mal Mund auf!« Vielleicht war er früher auch mal Rettungssanitäter. Vor dem Fall. Vor seinem. Lange vor meinem.

»Also die Zähne sind alle noch da«, fasst er zusammen. Er sagt das so selbstbewusst, als würde er sich gerade am Ende der Visite die Latexhandschuhe ausziehen, während er gleichzeitig seiner Assistentin diktiert. »Kühlen musste. Kaltet Bier auf die Backe, fertich! Zur Hochzeit biste so schön wie vorher.«

Mich hat das damals sehr getröstet. Auch wenn gar keine Hochzeit geplant war.

Zu Hause angekommen wollte ich mir das Gesicht waschen. Aber über dem Waschbecken im Badezimmer hing der Spiegel. Als ich da reinguckte, fing ich vor Schreck gleich wieder an zu heulen.

Meine Lippe war auf Pornogröße angeschwollen, aber nur auf der einen Seite. Es sah aus, als ob dem Schönheitschirurgen nach der Hälfte das Kollagen ausgegangen wäre. Ein kleines Blutrinnsal war aus dem Mundwinkel am Hals entlang in den Mantelkragen geflossen und nun zu einer braunen Spur verkrustet. Meine Augen waren rot und geschwollen. Die Wimperntusche hatte sich gleichmäßig über das ganze Gesicht verteilt. An den

Stellen, wo kein Blut, keine Tusche und kein Dreck die Haut bedeckten, schimmerte eine bläuliche Leichenblässe durch.

Ich sah aus wie Noomi Rapace alias Lisbeth Salander am Ende des zweiten Teils der Verfilmung der Millennium-Trilogie von Stieg Larsson, als sie halbtot im Wald begraben worden ist und sich mit einem Zigarettenetui wieder freigeschaufelt hat. (Aber das konnte ich damals noch nicht wissen, weil der Larsson die Figur noch nicht mal erfunden hatte, geschweige denn das Buch geschrieben, und weil der Film erst gute zehn Jahre später ins Kino kommen sollte.)

Ich machte den Mund auf, um mir die Lippe von der Innenseite anzugucken. Blut quoll hervor, und ich sah, dass mit dem einen Schneidezahn irgendwas nicht stimmte.

»Wackelt er denn?«, fragte mein Vater kurz darauf am Telefon.

In Krisensituationen ruft man immer zuerst die Eltern an. Zumindest wenn man keinen festen Freund hat und die Abnabelung von den Eltern noch nicht mal ansatzweise vollzogen ist. So wie bei mir mit Mitte zwanzig.

»Weiß ich nich«, wimmere ich.

»Na, wackel doch mal dran!«, sagt mein Vater.

»Ich trau mich nich!«

»Jetzt mach schon!«

»Aber wenn er rausfällt?!«

»Dann kriegste 'nen neuen!«

Es stellte sich später heraus, dass die linke Hälfte meiner Unterlippe deshalb so geschwollen war, weil ich mir beim Sturz die Ecke eines Schneidezahns von innen in die Lippe hineingejagt hatte und die war dabei abgebrochen. Also die Ecke, nicht die Lippe.

Mindestens eine Woche lang war ich der heißeste Feger am Platz. Die Leute blieben wie vom Donner gerührt stehen, wenn ich auf die Straße trat. Manche schlugen sogar die Hände vors Gesicht. Die Verkäuferinnen bei Spar waren unglaublich freundlich zu mir, und einmal sah ich, wie die Bäckersfrau mit dem Gemüsehändler tuschelte, als ich wegging.

»Bin auf die Fresse gefallen«, nuschelte ich anfangs hinter meinem Kühlakku hervor, das ich anstelle einer Bierflasche an der Backe hatte. Die Leute nickten dann mitleidig oder lächelten, als wollten sie sagen: »Solche wie dich, Mädchen, ham wir hier schon zu Hunderten jesehen. Brauchst janich weiterreden. Zeig uns den Kerl und wir regeln das. Für Typen, die ihre Frauen verhauen, ham wir hier unsre janz eigenen Methoden …«

Zum Glück hatte ich keinen festen Freund zu der Zeit. Der hätte sich ja in der Gegend nicht mehr blicken lassen können.

Dem Penner hab ich dann später mal ein Päckchen Tabak geschenkt. Und der Typ im Tabakladen meinte, ich solle mir unbedingt eine andere Geschichte ausdenken, wie ich mir die Fresse poliert hätte. Diese hier sei einfach zu peinlich.

Desperate Freundinnen

Kathi ruft an.

»Lealein!«, sagt sie. »Wie geht es dir?«

»Beschissen«, sage ich. »Mein Freund hat sich den Ischias eingeklemmt, und alle meine Liebhaber haben plötzlich beschlossen, treue Ehemänner zu werden. Ich hatte seit drei Tagen keinen Sex. Es ist die Hölle!«

Kathi schnaubt. »Drei Tage!«, ruft sie. »Lächerlich. Ich hatte seit einer Woche keinen Sex. Seit einer Woche! Ich drehe durch. Der Mann ist schon wieder nervös. Und dann will er immer nicht.« Kathi hat nämlich einen Freund neuerdings. Er ist sehr nett und sieht gut aus. Aber die Beziehung der beiden entwickelt sich ungefähr so harmonisch wie der Nahostkonflikt. Eine Krise jagt die nächste. Zurzeit ist gerade wieder Waffenstillstand. Also ihre Waffen und sein Wachturm, alles steht still.

»Alles muss man selber machen!«, sage ich.

»Schon«, sagt Kathi, »aber was ist ein kleiner Finger gegen einen ganzen Mann?!«

»Hast du keine Hilfsmittel?«, frage ich.

»Ich will einen Mann!«, sagt Kathi.

Wir seufzen schwer.

»Lea, was ist bloß mit den Männern los?«, sagt Kathi

leidend. »Früher waren die es doch, die ständig wollten.«

»Ach, das ist doch Quatsch!«, sage ich. »Das ist doch auch nur so eine *urban legend*. Genauso wie die Sache mit dem vaginalen Orgasmus.«

»Ja, vielleicht«, seufzt Kathi. »Vielleicht hat den Männern aber auch jemand die Sache mit dem weiblichen Orgasmus erklärt.«

»Und jetzt ist der Druck so groß, meinste?«

»Ja!«, sagt Kathi. »Zeig mir die Verräterin und ich mach sie fertig! Mein Druck ist nämlich auch groß!«

Wir seufzen wieder.

»Lass uns Schluss machen«, sagt Kathi, »ich muss rumtelefonieren, ob ich noch irgendjemanden finde, der mit mir schlafen will. Ich kann sonst echt nich klar denken.«

»Mach das«, sage ich. »Ich zieh mir mal den Schwesternkittel an. Vielleicht hilft's ja was. Gegen den Ischias.«

Ramponiert am Rhein

Einmal war ich in Köln am Karnevalswochenende. Ausgerechnet! Ich musste dort arbeiten.

»Du weißt aber schon, was hier los ist?«, sagte mein Stiefpapa am Telefon. Er wohnt seit Jahren in Köln. Er hat sogar Familie dort. Doch dazu später.

Schon auf der Hinfahrt begegnete mir ein kleiner Schwarm sehr höflicher Männer in Kükenkostümen. Sie standen im ICE-Bordbistro und tranken Bier, die Münder gespitzt, die Oberkörper leicht nach vorne gebeugt, um ja die schicken Kostüme nicht zu bekleckern.

Samstagnacht zu Sonntag, um zwei Uhr morgens, bin ich angekommen in der Stadt am Rhein. Der ganze Hauptbahnhof war voll mit Menschen. Manche knutschten, manche schliefen, einige sangen, viele tranken. Alle waren verkleidet. Außer denen, die sich die Kleidung schon gegenseitig vom Leib gerissen hatten. Und mir.

»Mädchen, wo kommst du denn her?«, fragte mich ein Napoleon um die fünfzig am Ende der dreißig Meter langen Warteschlange am Taxistand. Der Dom erhob sich dunkel in die Nacht.

»Aus Berlin«, sagte ich.

»Aus Berlin?«, wiederholte er und schwankte ein wenig.

Er drehte sich nach vorne um. »Habta dett jehöört«, rief er den übrigen Wartenden zu. »Det Mädel kommt aus Berlin!«

Ein Superman drehte sich zu mir um und musterte mich von oben bis unten. So abschätzig wurde meine Kleidung seit den Neunzigern nicht mehr begutachtet. Da war ich noch Hippie und kleidete mich ausschließlich in Secondhandklamotten. »Is Fasching heute, oda watt?«, polterten die Berliner Muttis und Vatis damals, da wusste ich noch nicht mal, was das ist, Karneval.

»Das sieht man, dass du aus Berlin kommst«, sagte der Superman.

»Wieso'n?«, fragte ich.

»Du schaust so diszipliniert«, sagte er.

Um drei war ich bei Papa, um vier im Bett. Um neun schlug ich die Augen auf. Das Erste, was ich sah, waren zwei kleine Mädchen in Schlafanzügen, die mich aus sechs großen Kulleraugen anstarrten. Na ja. Das kleinere Mädchen hielt ein Stoffschaf im Schwitzkasten, dessen linkes Auge halb abgerissen war. Fünfeinhalb Augen, die mich anstarrten also, genau genommen.

»Sie ist wach!«, flüsterte das größere Mädchen. Es war Martha, die größere meiner beiden kleinsten Schwestern, den leiblichen Kindern meines geschiedenen Stiefvaters.

Exkurs: Ich habe drei Schwestern väterlicherseits und zwei Brüder. Auch väterlicherseits. Die Brüder und meine älteste Schwester kommen von meinem Vater, der Rest von meinem Papa. Aufgewachsen bin ich als Einzelkind. Mit meinen Geschwistern verbindet mich der Umstand, dass alle unsere Eltern getrennt leben. Ich bin sogar ein doppeltes Scheidungskind. Aber das ist eine andere Geschichte. Exkurs Ende.

»Paaaaapaaaa, sie ist waaaahaaaach!«, krakeelte das Kind mit dem Schaf im Schwitzkasten.

»Ja«, sagte ich.

»Spätestens jetzt«, sagte Papa.

Der Schreihals war Alma, sie war damals vier; Martha war sieben Jahre alt. Die Eltern der beiden hatten sich erst ein Jahr zuvor getrennt. Ihre Mutter war gerade schwanger von ihrem neuen Freund, der wiederum zwei Söhne mit in die Beziehung gebracht hatte, dreizehn und vierzehn Jahre alt. In den Augen ihrer Schwestern halbe Greise. Am Wochenende sind die Mädchen oft bei ihrem Vater, meinem Stiefpapa.

Ich rappelte mich im Bett hoch und stopfte mir ein Kissen in den Rücken.

»Hallo, ihr Süßen«, sagte ich.

Die beiden trauten sich bis an die Bettkante. Wir sehen uns nicht häufig. Höchstens ein, zwei Mal im Jahr. Alle halbe Ewigkeit, in Kinderzeitrechnung.

Unschlüssig standen die beiden vor meinem Bett und starrten mich an, studierten jede meiner Bewegungen, beobachteten, wie ich mir den Schlaf aus den Augen rieb, mit den Fingern durch die Haare fuhr und sie hinter die Ohren strich.

Ich gähnte herzhaft, dann klopfte ich mit den flachen Händen links und rechts von mir auf das Bett.

»Na los, kommt her«, sagte ich.

Hurtig kletterten die beiden aufs Bett. Alma knallte mir das Schaf auf den Bauch.

»Uff«, sagte ich.

»Haha«, sagte Alma.

Martha machte Smalltalk. »Wann bist du angekommen? Hast du Geschenke dabei?«

Es gab ein Bilderbuch im Koffer. *Die Regentrude.*

»Vorlesen«, befahl Alma und knallte dem Schaf das Buch auf den Kopf. Ich las. Von jenem Sommer vor hundert Jahren, der so heiß war, dass die Ernte verdorrte und das Vieh verdurstete. Von Maren, der Tochter des reichen Wiesenbauern, die hinabstieg in die Unterwelt, um die Regentrude zu wecken, damit der Regen kam und damit Maren den armen Schlucker Andres heiraten konnte.

Dann kam die Stelle, an der Maren der Regentrude erklärte, was alt sein bedeutet: »Graues Haar und rote Augen«, sagte Maren, »und hässlich und verdrießlich sein! Seht, Frau Trude, das nennen wir alt!«

Martha guckte mich an. Ich hatte fünf Stunden geschlafen. Eher vier. Davor war ich fünf Stunden Zug gefahren. Eher sechs. Ich war sehr stolz, dass ich bis dahin wach bleiben konnte. Martha guckte mich an.

»Lea!«, sagte Martha.

»Martha«, sagte ich.

»Lea«, sagte Martha, »wie alt bist du?«

»Uff«, sagte ich, »alt.«

Alma guckte mich an.

»Wie alt?«, fragte Martha.

»Uralt«, sagte ich.

Martha dachte nach. »Bist du fünfzehn?!«, fragte sie.

Mit zwei neuen Stiefbrüdern im Alter von dreizehn und vierzehn Jahren war fünfzehn das Methusalemhafteste, das sie sich für eine Schwester auszudenken imstande war.

Ich riss mich zusammen und sagte: »Ich bin mehr als doppelt so alt wie fünfzehn.«

Martha dachte nach. »Wie alt?«, wollte sie wissen.

»Ich bin 34«, sagte ich.

Marthas Augen weiteten sich. Nicht genug damit, dass sie jetzt Brüder hatte, die doppelt so alt waren wie sie. Jetzt sollte sie auch noch eine Schwester haben, die …

»Und wie alt ist Papa?!«, fragte Martha empört. Sie wusste, dass Eltern älter sein müssen als ihre Kinder. Sie kannte sich aus. Sie ging schon zur Schule.

»Wie alt ist Papa?!«, fragte Martha und richtete sich im Bett auf. Sie konnte es kaum fassen. Sie schnappte nach Luft, dann presste sie die Zahl hervor, die so weit jenseits ihrer Vorstellungskraft lag, dass ihr die Zunge staubte beim Aussprechen, so alt war das: »35?!«

Es dauerte eine Weile, bis ich mich wieder gefangen hatte. »Papa ist so alt«, sagte ich dann, »den würde nicht mal die Regentrude wieder jung kriegen.«

»Ey!«, tönte eine Stimme aus der Küche, »ditt habick jehört!« Dabei ist er sonst fast taub.

Beim Karnevalsumzug waren wir am Ende gar nicht. Martha hat Angst vor Menschenmassen. Sie ist eben doch meine Schwester. Wir sind auf den Spielplatz gegangen und haben die Regentrude nachgespielt. Alma und Martha kletterten durch die Unterwelt (das Klettergerüst), und ab und zu kamen sie zu Papa und mir gerannt, bewarfen einen von uns mit Sand und riefen: »Jetzt bist du wieder jung und schön!«

Alma wollte wissen, wann ich denn mal die anderen Geschwister angucken kommen würde.

Papa grinste: »Ein andermal, Almi!«, sagte er.

Martha schüttelte den Kopf. Dumme kleine Schwester! Greise große Schwester! Dann fragte sie plötzlich: »Papa, stirbst du bald?«

Rosenmontagabend bin ich zurückgefahren aus Köln.

»Wo geht's denn hier zum Zug?«, fragte mich eine Einhornfamilie mit violetten Flügelchen, die etwas verloren am Kölner Hauptbahnhof stand.

»Welcher Zug?«, fragte ich.

»Na, der Karnevalszug«, sagte Mutter Einhorn, als wäre ich ein bisschen schwachsinnig.

Immer wieder mussten die Bahnhofsrolltreppen gestoppt werden, weil die Jecken den Bahnsteig blockierten. Neben mir im ICE saß ein Mann, der eigentlich in den Zug nach Hamburg hatte einsteigen wollen, aber in dem Moment, als der einfuhr, genau zwischen zwei Türen am Gleis stand.

»Ich bin einfach nicht durchgekommen«, erzählte er der Schaffnerin. Die lächelte nur milde. Um am Rosenmontag Fahrkarten zu kontrollieren, braucht man das Gemüt eines Schaukelpferdes.

»Wissen Sie, ob das Klo dahinten auch außer Betrieb ist?«, fragte ich sie ein paar Stunden später. Es war nach 22 Uhr. Zwei Toiletten waren als »unbenutzbar« gesperrt, drei weitere besetzt, bei der vierten war ich mir nicht sicher. Die Schaffnerin auch nicht.

»Keene Ahnung«, sagte sie, »heute brauchen alle 'n bisschen länger. Vielleicht gehen Sie lieber durch in die erste Klasse.«

Auf dem Weg dorthin kam ich im Bordbistro an einem Schwarm bärtiger Biene Majas vorbei. Sie schliefen friedlich ihren Rausch aus.

Im Grunde funktioniert der Karneval doch auch wie die Regentrude, dachte ich. Einmal im Jahr verwandelt sich die Stadt in einen Jungbrunnen, und für ein Wochenende werden alle wieder jung und schön.

Die Klotür ging auf und eine Fee fiel mir entgegen. Sie hatte nur noch einen Flügel und sah reichlich ramponiert aus. Gut okay, korrigierte ich mich und half ihr auf. Vielleicht nicht schön. Aber albern und pubertär auf jeden Fall.

Die Maler waren da

Freitagmorgen, pünktlich um halb acht klingeln zwei dicke, ältere, atemlose Männer an unserer Tür. Einer hat Schnurrbart, der andere nicht.

»Weiter oben könn' Se nich wohnen, wa?«, keucht der Rasierte.

Die Fensterrahmen müssen gestrichen werden. Von außen machen die das, von innen ist man selber schuld.

Die Maler schleppen eine Schleifmaschine, verschiedene Eimer mit Farbe, dazu Pinsel, Klebepistolen und Abdeckplane in die Wohnung. Dann begutachten sie die Fensterrahmen und stellen fest: »Die sehn ja ma richtig scheiße aus.«

»Wo müssen Sie denn zuerst hin?«, frage ich.

»Wir müssen überall gleichzeitig hin«, sagt der Schnurrbart, »und das den ganzen Tag.«

»Mein Freund schläft nämlich noch«, sage ich. »Der hat gestern den ganzen Tag gearbeitet.«

»Klar, lassen Se'n pennen«, sagt der sprechende Schnurrbart. »Wir machen erst mal die andern Zimmer.«

Zwei Stunden später sitzen die beiden mit dampfenden Kaffeetassen auf dem Balkon. Paul ist immer noch nicht aufgestanden.

»Watt arbeitet denn der arme Kerl, dass er so fertig ist?«, fragt der Schnurrbart, aus dem der Milchkaffee tropft.

»Er arbeitet in so einem kulturwissenschaftlichen Institut«, versuche ich zu erklären.

Die Maler gucken mich an.

»Nein, watt der *arbeitet*, will ick wissen«, sagt der Schnurrbart. Als wäre ich ein bisschen schwachsinnig.

»Soll ick den wecken?«, grinst der Rasierte. »Denn schläft der nich mehr ein!«

Es ist beeindruckend zu sehen, wie die beiden arbeiten. Sie machen die ganze Zeit Pause, aber am Ende des Tages sind alle Fenster fertig.

»Sie wissen schon«, sagt der Schnurrbart zum Abschied, »dass Sie jetzt innerhalb von vier Wochen die restlichen Fensterrahmen von innen machen müssen?«

»WAS?!«, rufe ich. Mir fallen vor Schreck fast die leeren Tassen runter.

Der Rasierte boxt den Schnurrbart in die Seite. »Hihi«, sagt er, »der kommt immer wieder jut!«

Sie haben ja sogar Schimmel!

Allergien sind auch so eine West-Erfindung. Wie Kiwis, die gab es auch erst nach der Wende. Mein Vater hat früher einfach nicht gerne Milch getrunken. Bei mir heißt das jetzt Laktoseintoleranz.

»Wenn Sie keinen Milchzucker vertragen, sollten Sie mit Fruchtzucker auch aufpassen«, hat der Apotheker neulich gesagt. Sonst noch was? Fehlt nur noch, dass ich kein Eis mehr essen soll. Wo jetzt der Sommer kommt.

Als Kind war ich nur auf Katzen und Gräser allergisch. Jetzt habe ich sogar Schimmel.

»Sie haben ja sogar Schimmel!«, rief die Schwester beim Allergologen glücklich, als sie vor drei Jahren den Test machte. »Das hat nicht jeder!«

Ich war sehr stolz damals.

Nun mache ich seit zwei Jahren eine Hyposensibilisierung und kriege jeden Monat eine Spritze. Wenn ich nicht grade krank bin oder die Praxis geschlossen ist oder ich einen sehr schlimmen Allergieschub habe.

Ich habe eigentlich nicht den Eindruck, dass die Spritzen irgendeine Wirkung zeigen. Ich fange immer noch im März an, Tabletten zu schlucken, und höre im September damit auf. Silvester hatte ich sogar Asthma.

Wir waren in Italien. Das Haus war toll, der Ausblick ein Traum, die Zitronen blühten, und ich bekam jeden Tag weniger Luft.

»Hier ist bestimmt Schimmel im Haus«, sagte Hannes, der auch mit war. »Lasst auf keinen Fall eure zugigen Doppelkastenfenster zu Hause austauschen! Zugluft ist das beste Mittel gegen Schimmel, das es gibt.« Hannes kennt sich aus, sein Vater ist Architekt.

Wie gesagt, ich habe nicht das Gefühl, dass die Hyposensibilisierung wirkt. Aber ich mag die Ärztin so gern. Als mich letzten Sommer die Wespe stach, direkt unters Auge, am Tag vor diesem Riesenauftritt vor 3000 Leuten, da hatte ich zum Glück gerade eine Pille geschluckt. Deshalb schwoll mein Gesicht auch nur auf der einen Seite zu. Ich sah aus wie ein halbseitiger Botox-Unfall. Als ich damit zu Frau Doktor Rose kam, hat sie sich bei meinem Anblick vor Lachen auf die Schenkel geschlagen. Danach verabreichte sie mir eine volle Dosis Kortison. Auf der Bühne sah ich dann nur noch aus wie ein schlecht geschminktes Opfer leichter häuslicher Gewalt. Zumindest war ich den Heuschnupfen los für die nächsten zwei Wochen.

Heute war ich wieder eine Spritze holen.

»Links oder rechts?«, hat die Schwester gefragt und mir die Nadel in den rechten Oberarm gepikt. »Kann sein, dass es jetzt eine kleine Schwellung gibt wegen der Wärme. Dann müssen Sie einfach ein bisschen kühlen!«

Gute Idee!, denke ich und wähle Friedas Nummer. Ich habe schon mindestens drei Tage kein Eis mehr gegessen.

Wir treffen uns in der Eisdiele in der Falckensteinstraße, wo sie lauter so abgefahrene Sorten haben. Möhre-Walnuss, Petersilie-Limette, Mango-Bärlauch. Ich steh ja manchmal auf solches Zeug. Vierzig Jahre nach Pappe schmeckendes Vanille-Schoko-Erdbeer-Eis sind echt genug.

Vor uns in der Schlange steht eine Mutter mit Vorschulkind: »Für Tizian eine Kugel Zimteis«, sagt sie zu dem Eismann, als sie an der Reihe ist. »Das verträgt er. Da ist nämlich keine Laktose drin.«

Der Eismann knallt mit Schwung die Kugel in die Waffel, reicht sie dem kleinen Tizian runter und sagt zu Tizians Mutter: »In dem Zimteis is jenauso viel Sahne drin wie in jedem anderen Milcheis. Aber wenn Se meinen.«

Frieda nimmt einen Riesenschokonussbecher, der ungefähr so viel kostet wie ein kleines Steak und mindestens genauso satt macht. Mit Sahne und Soße und allem. Ich nehme Schoko-Chili und Ingwer.

Wir setzen uns auf eine Bank und gucken Passanten. Penner, Junkies, Touristen, Kinder. Letztere scheinen im Gegensatz zu uns kein bisschen überfordert zu sein von der Riesenauswahl an Eissorten.

»Die wissen genau, was sie wollen«, sagt Frieda.

»Die kriegen ja auch immer, was sie wollen«, sage ich.

»Dafür müssen sie aber auch alle Entscheidungen selber fällen«, sagt Frieda.

»Mhm«, sage ich.

Wir schweigen, essen und gucken.

Ein kleines Mädchen, das bestimmt auch selber entschieden darf, was es anzieht (rotes Kleid über pinkfarbener Cordhose), steht auf Zehenspitzen vor dem Eismann.

»Ist das glutenfrei?«, fragt das Mädchen.

Wir können die Antwort nicht hören, wir denken sie uns.

Das Mädchen gibt eine sehr detaillierte Bestellung auf. Dann wartet es geduldig und mit ernster Miene. Schließlich reicht der Eismann dem Mädchen einen Eisbecher, der dem von Frieda überraschend ähnelt.

»Dis aber weder gluten- noch laktose- noch nussfrei!«, murmelt Frieda.

Die Kleine betrachtet den Speiseeisberg kurz, als würde sie genau das denken, was Frieda eben gesagt hat, dann stellt sie sich abermals auf die Zehenspitzen und sagt sehr ernsthaft und sehr bestimmt: »Könnte ich bitte ein Glas Leitungswasser zu meinem Eisbecher haben?«

Frieda und ich erstarren.

»Leitungswasser!«, hauche ich und deute mit meinem Plastelöffel Richtung Eisdiele. »Hat dieses Kind gerade Leitungswasser verlangt?«

Frieda nickt, eine Sorgenfurche hat sich tief in ihre Stirn gegraben. »Früher haben wir das Eis einfach aufgegessen«, sagt sie leise. »Und wenn wir danach Durst hatten, haben wir 'ne Cola getrunken. Und wenn uns davon schlecht wurde, haben wir zünftig gekotzt. Und wenn wir danach wieder Hunger hatten, gab's Pommes mit Majo und Ketschup. Leitungswasser …!«

Fassungslos tropft mein Eis auf die Straße.

Mit ohne Romantik

In meiner Umgebung gibt es jetzt einen brandneuen Trend: Heiraten. Hochzeiten sind der heiße Scheiß. Man geht nicht mehr einfach so tanzen, man tanzt jetzt mit Anlass. Und mit Romantik.

Meine Freundin Steffi zum Beispiel heiratet jetzt ihren ehemaligen Mitbewohner. Vor zwölf Jahren ist Steffi zu Dirk in die WG im Wedding gezogen. Wedding, verstehste, höhö! Die beiden mochten sich und kochten gern zusammen, guckten auch manchmal gemeinsam *Tatort* und berieten sich in Beziehungsproblemen; ins Bett gingen sie jedoch immer mit anderen Leuten.

Und dann, im Sommer vor sechs Jahren, bekam Steffi Magen-Darm-Grippe. Und weil sie beide gerade Single waren und Steffis Eltern viel zu weit weg waren, um sich zu kümmern, trug Dirk den Brecheimer aus dem Zimmer, kochte Kamillentee und hielt ihr die Haare aus dem Gesicht, wenn sich ein neuer Schwall ankündigte. Logisch, dass die beiden sich verliebten. Gibt es etwas Romantischeres als einen Mann, der seiner Frau die Haare aus dem Gesicht hält, wenn sie kotzen muss? Mittlerweile erwarten die beiden ihr zweites Kind. Jetzt ist ihr morgens übel.

»Hat er dir einen richtigen Antrag gemacht?«, frage ich Steffi.

Sie lächelt und sagt: »Na ja, wir hatten schon darüber geredet, als Thema war, ob wir ein zweites Kind wollen. Und als ich dann wieder schwanger war, stand ich abends im Bad und hab Zähne geputzt, da habe ich Marieke gehört.« Marieke ist ihre ältere Tochter, sie wird jetzt zwei.

Steffi erzählt weiter: »›Mama, Mama, guck mal‹, hat Marieke gerufen, und als ich die Tür aufgemacht hab und in den Flur gekommen bin, da stand sie da mit einer Kerze in jeder Hand – so Halogendinger, keine echten Kerzen – und Dirk hatte ihr einen Schlafanzug angezogen, da waren so Buchstaben draufgenäht, da stand drauf: ›Willst du meinen Papa heiraten?‹«

Ja, okay, das ist sogar NOCH romantischer, als wenn dir jemand die Haare aus der Kotze hält. Wenigstens feiern die beiden eine richtige Party. Ich hasse das ja, wenn die Leute sich einfach so zusammenschreiben lassen, ohne jemandem was davon zu sagen.

Unsere Freunde Anna und Holger haben das gemacht, nachdem das Kind da war. Erfahren hab ich es ein Jahr später nur durch Zufall, als ich mit Anna gechattet habe.

»Muss ich mal meinen Mann fragen«, hab ich geschrieben, wegen irgendwas, und meinte meinen Freund. Es sollte ironisch sein. Und dann schrieb Anna: »Wieso? Seid ihr jetzt auch verheiratet?« Und ich stutzte und schrieb: »Wieso ›auch‹?«, und sie schrieb nichts, und ich rief sie an und ins Telefon hinein: »Sag jetzt nicht, ihr habt geheiratet und uns nicht Bescheid gesagt!«

Der große Bruder von meinem Freund ist sogar bis ans

andere Ende der Welt gefahren, um dem Trubel zu entgehen – angeblich um »Urlaub« zu machen! –, und statt einer Postkarte schickte er nach seiner Rückkehr eine E-Mail mit einem Foto von ihm und seiner Freundin in Abendrobe am Strand. Genauer gesagt, stand Micha bis zu den Knien im Meer und trug Ulrike auf dem Arm. Bei Sonnenuntergang.

Frechheit!

Mir hat meine Mutter das Heiraten verboten: »Viel zu teuer«, hat sie gesagt, »das Fest kann sich kein Mensch leisten und die Scheidung erst recht nicht.« Sie kennt sich aus, sie hat beides zweimal mitgemacht.

Meine Großeltern sind damals eine Woche nach Kriegsende im Mai 1945 auf der Suche nach Zigaretten durch die Ruinen von Berlin geklettert, als sie am Standesamt vorbeikamen.

»Los komm!«, sagte meine Oma zu dem Mann, den sie ein paar Monate zuvor aus dem Arbeitslager gerettet hatte. »Wir gucken mal, ob es schon wieder offen hat!«

Es hatte offen, und im Standesamt saß ein »Beamter neuen Geistes«, wie meine Oma es nannte, und als sie das Aufgebot bestellen wollten und ihre Namen nannten, da sagte der Beamte: »Ach, wissen Sie was, Sie nehm ich gleich dran. Sie haben so lange warten müssen, jetzt soll Ihrem Glück nichts mehr im Weg stehen!«

Zwei Passanten wurden als Trauzeugen von der Straße geholt, und als meine Großeltern zwei Stunden später nach Hause kamen, da wusste meine Urgroßmutter sofort, was passiert war, und war ziemlich böse auf die beiden, kochte dann aber doch noch den letzten Grieß zu Brei als Hochzeitsmahl für die ganze Familie.

Die Ehe hat dann leider nicht lange gehalten, genauso wie die beiden Ehen meiner Mutter. Zweimal hat sie geheiratet, beide Male im selben Kleid. Das erste Mal, um eine Wohnung zu bekommen, das zweite Mal, um einen Job zu bekommen. Mit Romantik haben sie es nicht so in meinem Teil der Familie.

Als letztes Jahr aber auch noch Pauls Schwester heiratete, haben Paul und ich uns schon ein wenig in die Enge gedrängt gefühlt. Besonders beim Brautstraußwerfen.

»Lea, fang!«, rief Pauls Schwester und warf mir das Ding einfach gegen den Kopf. Ich fing das Gemüse kurz auf und ließ es vor Schreck sofort wieder fallen. Ich lasse mir doch von einem Blumenstrauß nicht vorschreiben, wann ich zu heiraten habe! Paul sieht das genauso.

»Nee, nee«, hat er zu seiner Familie gesagt. »Wir lassen unsere Ehe lieber wild.«

Tante-Emma-Laden

Im Tante-Emma-Laden bei uns um die Ecke sitzt die hauchdünne Frau an der Kasse. Sie ist sehr freundlich und immer erkältet. Der Laden ist ein bisschen rumpelig. Die Regale sind noch aus Konsumzeiten, die Tiefkühltruhen aus den Neunzigern.

Ich kaufe gerne hier ein. Es gibt Honig und Äpfel und Leinöl, aber auch Bier und Seife und Schnaps. Eben alles, was der Mensch so braucht. Die Tür schließt nicht richtig, deshalb zieht es immer. Arme Verkäuferin.

»Nur die Äppel?«, sagt sie zu mir und schnäuzt sich lautstark.

»Machen Se ruhig erst die Jungs«, sage ich.

Mit mir zusammen sind vorhin zwei Grundschüler in den Laden geschlüpft. Irgendwas zwischen sechs und neun Jahre alt. Der kleinere hält ein Geldstück umklammert und tritt nervös von einem Fuß auf den anderen. Bestimmt haben die beiden irgendwas angestellt.

Die Verkäuferin seufzt. »Ditt dauert!«, sagt sie warnend zu mir. Ich winke ab. Ich hab Zeit.

Die Verkäuferin hebt ergeben die Schultern. »Wenn Se meinen!«, sagt ihre Miene. Dann dreht sie sich zu den Jungs: »So«, sagt sie. »Watt wollta?«

Der größere Junge stupst den kleineren am Arm: »Los!«

Der Kleine atmet mutig ein und sagt: »Eine saure Gurke, bitte!«

Watt?, denke ich.

Die Verkäuferin sieht gar nicht erstaunt aus. Sie fragt sogar nach: »Eine, ja?«

Der Größere flüstert dem Kleineren was ins Ohr. »UND zwei weiße Mäuse!«, stößt der Kleine hervor.

Die Verkäuferin seufzt, schnäuzt sich erneut und greift dann in das Regal neben der Kasse, wo nämlich (das hatte ich bis heute gar nicht bemerkt) auf vier Etagen übereinandergestapelt lauter durchsichtige Plastikeimer lagern. Mit buntem Inhalt. Gummitierchen. In allen erdenklichen Formen und Farben. Lakritzschnecken, Fruchtgummischnecken, Zuckerschlangen, Zuckerschnüre, Gummizitrusfrüchte, Colaflaschen, Weiße Mäuse, Saure Gurken. Und Saure Apfelringe. Die hab ich als Kind geliebt. Für die sind Frieda und ich immer ins Kino gerannt.

Das *Filmtheater am Friedrichshain* war damals eine halbe Ruine und deshalb spottbillig. Jeden Film haben wir uns reingezogen, wirklich jeden, in den sie uns reingelassen haben. Und vor jeder Vorstellung gab es an der Kinokasse eine Tüte Saure Apfelringe. Hach, war das schön, wenn sich die Wangen vor lauter Säure nach innen zogen und unsere Gesichter sich zerknautschten wie ausgewrungene Waschlappen. Die Tüte hat nie auch nur den Vorspann eines Films erlebt. Sie war immer schon in der Werbung alle.

»Fünfzehn Cent«, sagt die Verkäuferin.

Die Jungs geben das Geldstück hin und kriegen fünf Cent zurück. Ohne ein Wort rennen sie hinaus.

Die Verkäuferin stellt die Dosen zurück und legt meine Äpfel auf die Waage. »Sonst noch watt?«, fragt sie gerade, als die Jungs wieder in den Laden gepest kommen.

»Ick hab's jeahnt«, murmelt die Verkäuferin, zu den Jungs sagt sie: »Also, watt jetz?«

»Ähm, ähm, ähm«, sagt der Große, »können, können wir noch eine Saure Gurke hahaben?«

Natürlich können sie. Und ich nehme am Ende noch Saure Apfelringe. Eine ganze Tüte voll.

Tödlicher Schnupfen

Ich bin krank. Ich wusste es in dem Moment, als ich mich heute Morgen an den Schreibtisch setzte. Krank! Ich denke, ich werde es nicht schaffen. Flüssigkeiten rinnen unkontrolliert aus meiner Nase. Meine Ohren sind verstopft. Der Schädel dröhnt. Ich glaube, ich habe Fieber.

»Ich bin krank!«, jaule ich meinem Freund durch das Telefon ins Ohr. Meine Stimme klingt wie ein Reibeisen.

Paul findet das sexy.

»Du nimmst mich nicht ernst!«, heule ich.

Ich habe mir ein Fieberthermometer unter den Arm geklemmt. In wenigen Minuten werden wir Gewissheit haben. Ich wette, ich habe mindestens 39,2 Grad. Paul wird sich schämen, mich veräppelt zu haben, seine Arbeit für heute liegen lassen und nach Hause gerannt kommen, um mich zu pflegen.

»Ich glaub, ich hab Fieber!«, hauche ich in den Telefonhörer. Und als hätte es dieser Bekräftigung noch bedurft, muss ich dreimal hintereinander heftig niesen.

Nun gibt es ja bekanntlich verschiedene Arten von Niesern:

Die ganz kleinen niedlichen; solche, wie sie meine Freundin Frieda immer macht. Wie Babykätzchen, denen man ins Gesicht pustet. Nieser, die nicht mal ein ganzes »Hatschi« zustande bringen. Nur ein kleines niedliches »Tsi!«. Ein Geräusch, das so bezaubernd ist, dass Frieda meint, manchmal habe sie das Gefühl, ihr Freund sei, wenn sie erkältet ist, nur noch mehr in sie verliebt.

Dann gibt es erwachsene Nieser. Das sind Niesgeräusche von Menschen, die sich beherrschen können, die ihr Leben im Griff haben, Nieser von verantwortungsvollen Mitgliedern der Gesellschaft: Ein kontrolliertes »Hatschi!« in gedämpfter Lautstärke, das nie in die Hand geht, sondern immer ins Taschentuch. Paul niest so. Beneidenswert.

Und dann gibt es mein Niesen. Laut. Unbezwingbar. Von ganz unten nach ganz oben. Und darüber hinaus. Ungefähr so wie Röhren des Löwen im Vorspann der Metro-Goldwyn-Mayer-Filmproduktion, nur entfesselter. Und nasser.

»Spätzchen?«, sagt Paul.

»Ja?«, näsele ich erschöpft.

»Dir geht's nicht gut, ne?«

»Nein!«, heule ich. »Es geht mir NICHT GUT!« Endlich hat er es begriffen.

Das Thermometer piept. Jetzt wird die Wahrheit ans Licht kommen.

»Na, wie viel?«, fragt Paul.

Ich blinzle. 37,2 Grad. Das ist der blanke Hohn!

»Wie viel?«, fragt Paul.

»Äääh … Weiß ich nicht«, murmele ich, »das Thermometer ist kaputt.« Ich kann hören, wie er grinst.

»Spätzchen?«, sagt Paul. »Weißt du, vielleicht, ganz vielleicht, stirbst du ja auch nicht an der Erkältung!«

Niemand nimmt mich ernst. NIEMAND!!!

Von Nummern und Namen

Ich brauche einen neuen Ausweis. Man soll ja keine Texte mit »ich« beginnen. Das klingt so egozentrisch. Aber der Personalausweis ist nun mal eine sehr persönliche Sache. Vor drei Wochen habe ich mir in Wien das Portemonnaie klauen lassen. Auf der Rolltreppe am Stephansplatz aus dem Rucksack raus. Der Enkeltrick unter den Taschendiebstählen. Als hätte man sich in Berlin an der Weltzeituhr beim Hütchenspiel bescheißen lassen.

Seitdem hab ich alle drei Tage beim Fundamt angerufen, so heißt das in Wien. Die Wiener sagen auch Geldsackerl, was erstens viel hübscher klingt und zweitens so, als ob richtig Geld drin gewesen wäre. Der Ausweis war drin. Und die Geldkarten, die Bahncard, mein Behindertenausweis.

Letzten Freitag war ich beim Amt, so stolz, es noch vor eins geschafft zu haben.

»Hallo, ich brauche einen neuen Ausweis«, sagte ich zu der Frau am Empfangsschalter. »Ich habe alles dabei.«

Die Frau guckte mich über den Rand ihrer Brille hinweg an, als ob ich gerade ihre Großmutter beleidigt hätte. »Haben Sie einen Termin?«

»Nein«, sagte ich fröhlich, »aber ich bin ja hier. Ich hab

die Fotos bei, meine Geburtsurkunde, meinen abgelaufenen Reisepass … Kann ich den gleich mit verlängern lassen?«

»Nu ma janz langsam«, sagte die Dame mit expliziter Seelenruhe, »ohne Termin können Sie hier gar nichts.«

Mein Mut schmolz dahin wie Sachertorte in der Frühlingssonne.

Missmutig hackte die Dame auf der Tastatur herum, die vor ihr auf dem Tisch stand, dann sagte sie, ohne aufzublicken: »Nächsten Freitag, halb eins.«

»Wie?«, fragte ich.

Sie gab mir einen ausgedruckten A4-Bogen mit einer Zahl drauf. »Das ist Ihre Wartenummer«, sagte sie. Ich war perplex.

»Eine Woche im Voraus?!«

Ich weiß noch, wie ich mit sechzehn meinen ersten Ausweis beantragt habe. Pappelallee, Kreuzung Eberswalder, da wo heute dieser Laden drin ist, der *Meldestelle* heißt, dabei gibt es da heutzutage überhaupt nichts mehr zu melden, nur Klamotten zu kaufen.

Vor zwanzig Jahren saß dort das Landeseinwohneramt. Durch einen schmalen Hausflur ging man die geschwungene Treppe hinauf in den ersten Stock und stand in einem muffig riechenden Raum der Farbrichtung Krankenhausessen.

Zwischen unbequemen Holzstühlen mit schlechtgelaunten Menschen drauf hing an der Wand ein kleiner grauer Kasten von der Größe eines Schuhkartons, der aussah, als sei er noch von den fleißigen Arbeitern des untergegangenen Unrechtsstaats zusammengeschraubt worden. Mit Klebeband war ein Schildchen an dem Kasten befestigt: »Bitte Wartenummer ziehen!« Darunter ein Pfeil zu einem dicken roten Knopf.

Ich weiß es noch wie heute. Ich drückte auf den Knopf. Es quietschte, während die runde Scheibe unter dem Druck meines Daumens ein Stück weit im Kasten verschwand, um, sobald ich losließ, wieder hervorzuspringen. Ein mechanisches Geräusch ertönte, dann spuckte der Kasten unten rechts einen Zettel aus. Wie so einen Kassenzettel.

Ich riss das Papier ab, schaute drauf und erstarrte. Auf dem Zettel stand eine Nummer, ganz normal. Und: mein Name!

Ich guckte den Zettel an, dann guckte ich den Kasten an, dann meinen Daumen. Dann wieder den Zettel. Wie um alles in der Welt hatte dieses hässliche kleine Teil jetzt aus dem Abdruck meines Daumens meine Identität abgelesen? Alte Stasimethoden? Neue BND-Methoden? Illuminaten? Würde mir jetzt meine sozialistische Vergangenheit als Gruppenratsvorsitzende auf die Füße fallen? Es war unbestreitbar: Auf dem Zettel in meiner Hand prangten in großen Druckbuchstaben die Lettern LEA.

Ich habe fast die gesamte Wartezeit gebraucht, bis mir der Gedanke kam, dass mein Vorname auch die offizielle Abkürzung der Behörde war, in der ich mich gerade befand, des Landes-Einwohner-Amtes.

Wisst ihr eigentlich, was Lea bedeutet? Der Name ist nämlich nicht nur eine Sammelbezeichnung für Kleinkinder in Prenzlauer Berg. (Ich laufe ja nicht mehr über Spielplätze, ich bekomme sonst Verfolgungswahn.) Leah war in der Bibel die erste Frau von Jakob, dem mit der

80

Linsensuppe. Eigentlich war er scharf auf Rahel, Leahs kleine Schwester, aber dann hat der Vater der Braut ihm die alte hässliche Schwester Leah zuerst untergeschoben. Leah hat Jakob zwölf Söhne geboren, geliebt hat er sie trotzdem nicht. Übersetzt aus dem Hebräischen heißt der Name deshalb »die sich vergeblich Abmühende«.

Das habe ich neulich auch bei einer Lesung erzählt. Meine Mutter saß im Publikum. Als ich an die Stelle der Geschichte kam, rief sie dazwischen: »Die Schieläugige!«

»Was?«

»Leah heißt: die schieläugige, sich vergeblich Abmühende.«

»Ah!«, sagte ich. »Danke, Mama!«

Übrigens, das Flugzeug, mit dem ich nach Wien geflogen bin, hieß »OE-LEA«. Das stand außen dran. Und es ist nicht abgestürzt. Immerhin.

Linzer Torte

Sonntagmorgen, halb zehn in Deutschland.

Ich schlurfe zum Kühlschrank. Ich weiß ganz genau, dass da noch ein Stück Linzer Torte auf mich wartet. MEIN Stück Linzer Torte, das von MIR verspeist werden möchte. Von mir ganz alleine.

»Torte, ich komme!«, flöte ich und öffne die Kühlschranktür.

Eigentlich mache ich mir nichts aus Süßigkeiten und Paul sich auch nicht. Bei uns wird Schokolade sogar schlecht, weil sie keiner isst. Mit meinem Exfreund war das anders. Der schenkte mir regelmäßig Schokolade, dann schlug er sich mit der flachen Hand vor die Stirn, sagte: »Stimmt! Du magst ja keine Süßigkeiten!«, und aß die Tafel alleine. Kein Wunder, dass ich so klein und mickrig geworden bin!

Ich hatte zwar keine Geschwister, dafür aber eine gefräßige Freundin namens Tine. Eigentlich war sie gar nicht meine Freundin, sondern nur die Tochter der besten Freundin meiner Mutter. Tine war ein Jahr jünger als ich, aber doppelt so laut und dreimal so stark. Und außerdem war sie ein Mistvieh. Wenn unsere Mütter sich was zu erzählen hatten, wurden wir Kinder mit einem

Teller Kuchen und dem Befehl »Spielt mal schön!« ins Kinderzimmer abgeschoben und unserem Schicksal überlassen.

Normalerweise versuchte Tine immer, sich so viel Kuchen wie möglich auf einmal in den Mund zu schieben, damit für mich möglichst wenig übrigblieb. Aber einmal hatte sie einen neuen Trick:

Die Tür war kaum zu, ich konnte gar nicht so schnell gucken, da biss Tine in Windeseile von jedem Stück Kuchen einmal ab. Ich guckte ihr interessiert zu und wollte nach einem der Stücke greifen, da erklärte Tine mir mit vollem Mund, aus dem der Kuchenbrei herausquoll: »Daff if etz allef meinf. Waff man annebiffen hat, muff man au aufeffen.«

»PAUL!«, brülle ich Sonntagfrüh durch die Wohnung. »Wo ist meine Torte?!«

»Wieso deine Torte?«, fragt Paul. »Ich dachte, die wär für mich!«

Ab jetzt werd ich es einfach so machen wie Tine: In alles, was mir gehört, einmal reinbeißen. Und mit Paul fange ich an.

Einundzwanzig

Nachts halb drei bin ich mit der S-Bahn auf dem Weg nach Hause. Die S1 ist fast leer. Auf der anderen Seite des Ganges sitzen zwei Mädchen, siebzehnjährig, aufgetakelt und abgefeiert. Die eine isst einen Apfel und wirkt noch recht munter. Die andere nicht. Sie hängt auf der Bank wie ein Schluck Wasser in der Kurve und starrt unter Aufbietung sämtlicher Restkonzentration, die ihr noch übrig ist, auf das Smartphone in ihrer Hand.

»Marie, du musst schlafen«, sagt die Freundin und wedelt mit dem Apfel. »Ditt is ditt Einzige, watt hilft. Glaub mir. Lass ditt sein. Schreib dem nich. Ditt wird nich cool sonst. Du wirst ditt morgen bereuen.«

Marie senkt einen Finger auf den Bildschirm ihres Telefons. Wie in Zeitlupe. Ich glaube, sie versucht, eine Nachricht zu schreiben. Und ihre Freundin versucht, sie davon abzuhalten. Sie muss sich aber eigentlich keine Sorgen machen. Wenn Marie in dem Tempo weitertippt, ist der Akku alle, bevor sie fertig ist.

Marie sagt etwas. Also sie versucht es. Aber ihre Zunge liegt so schwer wie Blei und groß wie eine Klappstulle in ihrem Mund. Die Worte kommen beim Sprechen einfach nicht an der Zunge vorbei. Ich jedenfalls verstehe kein Wort. Die Freundin schon, wie es aussieht, aber sie kennt Marie ja auch länger.

»Nee, Marie, nee«, sagt die Freundin. »Wie stellst du dir ditt vor, watt denn passiert, wenn du da hinfährst? Ey, du bist rotzebesoffen, du siehst scheiße aus, deine Schminke is verlaufen. Ditt wird nich cool, Marie!«

Marie macht ein Geräusch. Es klingt wie das langgezogene Jaulen eines kleinen Hundes, der vor der Kaufhalle an den Fahrradständer festgebunden wurde, während Herrchen drinnen das Leergut abgibt.

Die Freundin seufzt entnervt auf und nimmt Marie das Handy weg.

Marie wimmert leise.

»Pass uff!«, sagt die Freundin. »Ick habe dir jetz 'ne Message vorjeschrieben, die kannste dem jetz schicken, und dann fährste nach Hause und legst dich schlafen, okay?!«

Marie wird still und guckt die Freundin an. Dann beugt sie sich mit einem Mal blitzschnell nach vorne, greift nach dem Handy, drückt auf den Bildschirm und hält sich das Gerät ans Ohr.

Die Freundin sitzt da und ist fassungslos. »Du rufst den jetz an, oder? Du rufst den jetz echt an …«

Er scheint ans Telefon gegangen zu sein, Marie fängt plötzlich sehr aufgeregt an zu lallen.

Die Freundin lehnt sich zurück und schaut sich das Unglück an. »Du bist so megapeinlich!«, murmelt sie und beißt in ihren Apfel.

Marie telefoniert zu Ende. Dann legt sie auf und schaut die Freundin an. Ein »Siehste!« mit Ausrufezeichen steht ihr ins Gesicht geschrieben.

Die Freundin schüttelt den Kopf. »Oh, Mann, ey! Was soll der Typ jetzt von dir denken?! Der ist EINUND-ZWANZICH, Mann!«

Bornholmer muss ich raus. Aber ich nehme die Erkenntnis mit, dass auch die beste Freundin manchmal machtlos ist gegen jene Vernunft und Würde vernichtende Allianz aus Verknalltheit und Suff.

Romanmädchen

»Weißt du, was das einzige Problem ist bei dem Eugenides?«, sage ich zu Paul.

Wir liegen im Bett, und er hört mir nicht zu. Ich bin
mal wieder Zwangssingle, weil mein Freund mich mit
einem Buch betrügt. Diesmal ist es der neue Roman
von Jeffrey Eugenides. Er heißt *Die Liebeshandlung,* im
Original *The Marriage Plot.* Es geht um drei überspann-
te Collegeabsolventen, die zu viel gelesen haben und zu
viel nachdenken: ein Hippie, ein Popstar und die schöne
Spießerin. Großartig!

Eigentlich ist das nämlich mein Buch. Ich habe es von
Paul zum Geburtstag bekommen und habe drei Monate
gebraucht, um es durchzulesen. Gestern bin ich fertig
geworden.

Jetzt liest Paul es. Er ist schon halb durch. Ich bin eine
Genießerin, ich durchlebe Bücher. Paul verschlingt sie.
Ich lese manche Bücher auch einfach nicht, wenn sie mir
nicht gefallen. Man muss nicht alles gelesen haben, dafür
ist das Leben zu kurz.

Hemingway war, glaub ich, der Erste, den ich sein
lassen hab.

»Mami, das möchte ich nicht lesen!«, sagte ich zu

meiner Mutter, nachdem der dritte Stier tot und immer noch keine Figur aufgetaucht war, die auch nur im Entferntesten einer echten Frau ähnelte. Und meine Mutter sagte: »Musste ja auch nich!«

Der zweite war Hermann Hesse, nachdem im dritten Buch genau dasselbe drinstand wie in den ersten beiden: dass er irgendwie mit seiner Mutter schlafen wollte und deshalb mit allem gevögelt hat, was ein Loch hatte, außer mit dem einen Mädchen, das einen Gehfehler hatte.

Wenn Paul isst, sieht es aus, als wolle er seinem Essen weh tun. Genau so liest er auch.

»Merkst du überhaupt, was du da liest?«, frage ich.

»Grmnfp«, macht Paul.

Das Erste, was ich von Eugenides gelesen hab, war *Middlesex*, wofür er den Pulitzer gekriegt hat, die Geschichte der Wanderung eines Gens durch die amerikanische Geschichte. Aber ganz ehrlich, ich finde das neue jetzt ja fast noch besser, vielleicht weil es ein Buch über Bücher ist und ich Literaturwissenschaftlerin bin, und Paul ist eben Historiker und findet deshalb *Middlesex* besser? Oder weil *Die Liebeshandlung* ein Liebesroman ist?

»Es gibt Leute, die sich nie verliebt hätten, wenn sie nicht von der Liebe hätten sprechen hören«, steht auf der allerersten Seite. Es ist ein Zitat von François de La Rochefoucauld, einem französischen Moralisten des siebzehnten Jahrhunderts. Ich schaue zu Paul hinüber. Liebe ich ihn jetzt anders, weil ich das Buch gelesen habe?

Das Problem ist nur, dass auch in *Die Liebeshandlung* die weibliche Hauptfigur (sie heißt Madeleine) psychologisch so dermaßen unstimmig ist wie jede andere von

Männern geschriebene weibliche Figur. So lange ich denken kann, hab ich immer bloß Bücher von Männern gelesen. Meistens ging es um Männer. Die wenigen Frauen in den Büchern waren immer ausnahmslos schön und selbstbewusst, und sie fanden sich auch immer selber total sexy. Man muss nur mal die Selbstbeschreibung einer weiblichen Figur lesen. Es wird immer irgendwas sein in Richtung: »Sie bewunderte ihre prallen Brüste und ihren knackigen Hintern«.

Wenn Männer aus der Frauenperspektive schreiben, dann klingt das immer irgendwie nach Wichsphantasie. Man kann richtig lesen, wie der Autor beim Schreiben dachte: Wenn ich eine Frau wäre, ich würde mir den ganzen Tag an den Titten rumspielen.

Männer denken, wenn Frauen in den Spiegel gucken, dann tun sie das, weil sie ihre eigene Schönheit bewundern. Das ist totaler Schwachsinn! Wir gucken, um zu überprüfen. Und wir sehen nie die schöne Frau, die sie sehen, sondern immer nur Teile des Bildes: Mitesser, Falten, graue Haare, Fettpolster.

Als Teenager hab ich fast so viel gelesen, wie ich ferngesehen habe, und ich hab immer gedacht: »Scheiße, wie soll ich das denn anstellen, dass mich mal einer will, ich hab ja noch nicht mal Titten!«

Die Madeleine bei Eugenides hat einmal was mit einem Model. Und dann heißt es: »Sie war es gewöhnt, die Schönere zu sein!« Das ist hirnrissig. Mädchen werden dazu erzogen, auf die Komplimente der Männer zu warten wie Kühe auf die Melkmaschine. Und wenn die Komplimente nicht kommen, dann verlieren sie ihre Existenzberechtigung. Madeleine kann gar nicht von alleine wissen, dass sie schön ist. So funktioniert das nicht. Es muss ihr gesagt werden. Immer und immer und immer wieder. Die Halbwertzeit von Komplimenten liegt ungefähr bei der von ungekühlten Austern. Und bei dem langweiligen Sexleben, das sie hat, wird sie es nicht glauben. Oder vielleicht ist es ihr nicht wichtig, weil sie so eine schöne Kindheit hatte und so doll geliebt wurde?

Das Einzige, was diese Madeleine an sich selbst auszusetzen hat, ist ihr »unvollkommener« Arsch. Okay. Zeig mir eine Frau, die ihren Arsch für vollkommen hält. Außer Jennifer Lopez!

»Wieso? Du findest deinen Arsch doch auch super!«, murmelt Paul.

»Paul!«, sage ich. »Du hörst mir ja doch zu!«

»Ja«, sagt Paul, schaut von dem Roman auf und sieht mich an. »Und gestatte mir mal eine Frage: Was würdest du denn machen, wenn du in einen Mann schlüpfen könntest? Na?«

Ich überlege kurz.

Dann stehe ich aus dem Bett auf, setze mich an den Schreibtisch und notiere: *Er stand vor dem Spiegel und begutachtete sein markantes Kinn, die stahlblauen Augen, die breite Brust. Sein Gemächt wog schwer in seiner Hand.*

Das Mittelalter endet um 18 Uhr

Der Wind pfeift durch alle Löcher. Die Entlüftungsklappe in der Küche tut so, als wär sie eine Kastagnette. Vor meinem Fenster fliegt ein Ei vorbei.

Ostern vor achtzehn Jahren war auch Sturm. Das weiß ich deshalb so genau, weil ich da zum ersten Mal auf einem Mittelaltermarkt gearbeitet habe. Ich war siebzehn und half an einem Stand mit Krimskrams, zusammen mit meiner Freundin Frieda.

Der Sturm kam in der Nacht von Gründonnerstag auf Karfreitag. Sämtliche Verkaufsstände des Marktes klappten zusammen wie Streichholzhäuschen. Ein Baum stürzte auf die Bühne und zerstörte die halbe Technik. Zwei Dixieklos wurden vom Wind einfach umgepustet und ergossen ihren Inhalt über die halbe Festwiese. In der Nähe des Metstandes roch es vier Tage lang irritierend nach Chemikalien der Duftnote Meeresfrische.

Den halben Karfreitag waren wir mit Trümmerbeseitigung beschäftigt. Dabei mussten wir trotzdem unsere Kostüme tragen, es sollte ja authentisch sein. Dafür zahlten die Besucher schließlich Eintritt.

Hat jemand von euch schon mal versucht, Baumstämme durch Modder zu schleppen? Habt ihr dabei dreilagige bodenlange Baumwollkleider getragen? Der Modder kriecht in dem Stoff die Beine hoch. Wenn er zu einer Lehmkruste getrocknet ist, gibt es bei jeder Bewegung ein leises Rieseln. Es war die Hölle. Und es war wunderbar.

Der Stand neben uns wurde nämlich von zwei jungen Männern betrieben. Die verkauften gebrannte Mandeln. Ich habe seit Ostern 1997 nie wieder gebrannte Mandeln gegessen. Aber damals schmeckten sie mir noch.

»Die sind aber süß!«, sagte ich.

»Die Mandeln?«, fragte Frieda.

»Die auch«, sagte ich. Der Romeo-und-Julia-Film mit Claire Danes und Leonardo DiCaprio war gerade ins Kino gekommen.

Abends, wenn die Marktbesucher gegangen waren, saßen wir am Lagerfeuer und sangen Kanonen, wie Frieda es nannte. Die Mehrzahl von Kanon. Dazu tranken wir Met, der war noch süßer als die Mandeln und zudem mit Alkohol.

»Guck mal, der Komet!«, sagte Frieda.

»Guck mal, jetzt sind es zwei Kometen!«, sagte ich.

Es war nämlich auch das Jahr, als ein schmutziger Schneeball namens Hale-Bopp an der Erde vorbeiflog und wochenlang aussah wie eine bekiffte Riesensternschnuppe, die einfach nicht von der Stelle kam. Was wir uns alles gewünscht haben!

»Frauen, geht mal Holz holen!«, sagte einer von denen, die schon ein paar Tage zu viel auf solchen Märkten verbracht hatten. Ein Tempelritter. Für alle anderen hörte das Mittelalter um 18 Uhr auf. Nur die Tempelritter baggerten auch nach Dienstschluss noch jede Frau als

»holde Jungfer« an und hielten das für Flirten. Sie hatten sowieso die dicksten Eier von allen, sie waren die Sheriffs des Marktes.

»Am Arsch!«, sagte Frieda.

Sie kam kurz danach mit einem der Mandelmänner zusammen. Ich verliebte mich eine Woche später in einen Jungen aus der Parallelklasse. Er hieß Klaus und konnte gut küssen.

Warum ich das alles erzähle? Keine Ahnung. Es ist zwei Uhr morgens und der Wind rüttelt an den Fensterläden wie ein ausgesperrter Liebhaber. Wahrscheinlich bin ich einfach froh, dass ich heute Nacht nicht im Zelt schlafen muss.

Umwandlungen

An der Kreuzung Schönhauser/Ecke Bornholmer sitzen zwei alte Frauen auf ihren Rollatoren und rauchen Zigaretten. Sie trinken nichts. Alte Leute trinken immer zu wenig.

In dem Kiosk daneben sitzt ein Junge hinter dem Verkaufstresen und isst einen Döner. Er nimmt den Mund zu voll.

Ich stehe mit dem Fahrrad an der Ampel und warte auf Grün.

Auf der anderen Straßenseite blinken die roten Leuchtbuchstaben vom Sex Shop. Das S und das H sind schon mindestens seit dem Jahr 2000 kaputt. In ganz Pankow glaubt kein Mensch mehr daran, dass da zufällig *Sex* OP draußen dran steht. Wahrscheinlich herrscht dort tagein, tagaus medizinischer Hochbetrieb, verborgen hinter Schmuddelfilmregalen. Drei Geschlechtsumwandlungen zum Preis von einer. Und das Lehrfilmmaterial gibt's gratis dazu. Bestimmt machen sie nun groß Konjunktur, wo jetzt die Frauenquote durch ist. Hashtag »schnippschnapp« und so.

Vor zehn Jahren war die Schönhauser Allee noch ein richtiges Sexshopmekka. Da war noch was los im Prenzlauer Berg. Da konnte man auf zwei Kilometern für jeden Fetisch das passende Zubehör kaufen. Und je weiter man Richtung Mitte kam, desto schwuler wurden die Läden. Ich hatte mal was mit einem Mann, der wohnte in der Schönhauser, direkt über so einem Laden. Dort wurden auch seine Pakete immer abgegeben. Ich durfte nie mit reinkommen, wenn er die abholte. Ich würde seinem Image schaden, hat er gesagt. Manchmal konnte man in seiner Wohnung Geräusche aus den Darkrooms darunter hören. Staubsauger, die den Dreck wegmachten …

»Hallo!«, ruft ein Radfahrer hinter mir. »Jetzt fahr doch mal los, Mensch! Es ist grün!«

Die Rollatorenladys gucken und grinsen, dem Dönerjungen hängt ein Salatblatt am Kinn.

»tschuljung«, murmele ich und fahre weiter nach Mitte. Vorbei an Biosupermärkten, Salatläden und Cafébars.

Wenigstens die Pakete kann man noch abgeben.

Menschen am Liepnitzsee

Zu Pfingsten machen wir einen Fahrradausflug zum Liepnitzsee: Tim, Hannes, Gregor und ich, die ganz alte Truppe. Tim ist mein Ex, Hannes mein ältester Freund, und Gregor war immer schon dabei.

Hannes hat uns zusammengebracht, Tim und mich, damals, vor ungefähr hundert Jahren. Ich wollte mit Hannes tanzen gehen. In die *Alte Kantine*. Wie immer. Und dann brachte der diesen Tim mit. Es kam, wie es kommen musste. Hannes verschwand mit irgendeiner Ische, Tim und ich blieben zurück.

Gut aussehen tut er ja, dachte ich, und tanzen kann er auch. Schnell war klar, entweder würde ich bald gehen oder wir würden zusammen gehen. Und weil ich noch nicht müde war, blieb ich noch ein bisschen.

Zwei Tage später rief Hannes an. »Machst'n heute Abend?«, fragte er.

»Keine Ahnung«, sagte ich. »Tim ist grad da.«

»Echt?!«, rief Hannes. »Immer noch?!«

So fing das an mit Tim und mir. Wir verstanden uns gut, der Sex war super, das Leben eine einzige Party. Bis wir den Fehler machten, zusammenzuziehen.

Es war Zufall. Tim musste aus seiner Wohnung in

Friedrichshain raus, ich hatte langsam die Schnauze voll vom Helmholtzplatz. Ohne Kind oder Laptop auf dem Schoß konnte man sich dort im Jahr 2005 auch nicht mehr blicken lassen. Fünf Jahre vorher war noch die Bierflasche das obligatorische Accessoire der Helmholtz-platzbewohner gewesen und ich war die Einzige von meinen Freunden, die ein Innenklo besaß. Und einen Fernseher!

Jeden Sonntag ab 20 Uhr stand meine Türklingel auf Sturm.

»Macht hin, ist schon Wetter!«, brüllte ich in die Ge-gensprechanlage, bevor die Letzten sich vor meiner Mi-niglotze versammelten, um *Tatort* zu gucken. Ich hatte sogar einen Videorekorder!

Wenn kein *Tatort* kam und wir kein Geld für die Knei-pe hatten, schmissen wir unsere letzten Groschen zusam-men und trugen sie ins *Negativeland*, so hieß die Video-thek in der Dunckerstraße. Der Besitzer war ein sehr magerer Mann unbestimmbaren Alters mit vielen Zahn-lücken, einem hinreißenden österreichischen Akzent und der dreckigsten Raucherhustenlache, die ich je ge-hört habe. »Ah geh, die Frau Streisand!«, rief er jedes Mal, wenn ich seinen Laden betrat. »Was darf's denn sein?«

Einmal lieh er uns *Funny Games*. Ich konnte zwei Wo-chen lang nicht schlafen danach.

Ich war gerade frisch in die Wohnung eingezogen. Ein Tisch, ein Stuhl, ein Regal und eine Matratze waren alles, was drinstand. Und der Minifernseher samt Videorekor-der. Wir trafen uns zu fünft in meiner Wohnung. Hannes wollte später nachkommen.

Kennt ihr *Funny Games*? Das ist dieser Psychothriller

von Michael Haneke, über zwei Sadisten, die eine Klein-familie massakrieren. Einfach so. Es ist der fieseste Film, den ich je in meinem Leben gesehen habe.

Wir saßen gebannt vor der Glotze. Zu fünft in einem kahlen Zimmer. Das große Licht hatten wir ausgemacht. Gardinen hatte ich noch keine. Der Mond schien über den Hinterhof zum Fenster rein.

»Sie wollen doch auch wissen, wie es weitergeht, oder?«, fragte einer der Sadisten gerade. Der Schauspie-ler hieß Frank Giering. Er hat sich später umgebracht. Er schaute direkt in die Kamera, direkt auf uns, wie wir da saßen in dem kleinen kahlen Zimmer, dicht zusammen-gekauert auf einer alten Matratze, wie Entführungsopfer in einem Terroristenkeller.

Und plötzlich geht das Licht an und Hannes steht im Zimmer. Ich bin fast gestorben vor Schreck. Die Woh-nungstür hatte außen eine Türklinke, das hatte ich ver-gessen.

Soll ich erzählen, wie ich zu der Wohnung gekommen bin? Mit einem Apfelkuchen!

Ich war schon verliebt, als ich zur Tür reinkam. Die will ich haben, dachte ich, die und keine andere. Zumal ich beim Hochkommen gesehen hatte, dass direkt ne-benan eine Freundin von mir wohnte. Also keine richtige Freundin. Mehr so Freundin von Freunden. Man kannte sich. Berlin eben. Alles eins.

Jedenfalls schrieb ich dem Vormieter nach der Be-sichtigung eine E-Mail: »Lieber Vormieter, seit ich deine Wohnung gesehen habe, kann ich nicht mehr schlafen. Es ist Liebe. Gibt es irgendeine Chance für mich? Weil wenn nicht, werde ich unter die nächste Brücke ziehen.

Etwas Schöneres finde ich im Leben nicht. Ich würde fast alles tun, damit du mich nimmst als Nachmieterin. Geld kann ich dir keins bieten, aber mein Apfelkuchen ist ganz anständig. Was denkst du? Werden meine Tränen umsonst geflossen sein?«

Der Vormieter ließ sich einen Tag Zeit, dann schrieb er zurück: »Liebe Lea, schäl mal die Äpfel!«

Und dann zog ich mit Tim zusammen. Der hing sowieso die ganze Zeit bei mir rum, und ich hatte keine Lust mehr auf Kohleofen. Immer schwarze Fingernägel, immer den Dreck in der Bude. Kohlen hoch- und Asche runterschleppen, und wenn man mal ein paar Stunden nicht da war, wurde es schweinekalt. Der Vormieter hatte nie geheizt. Nicht mit dem Ofen. Das merkte ich, als ich es das erste Mal versuchte. Schwarze Rauchschwaden verdunkelten das Zimmer.

»Bisschen Ruß ist normal am Anfang«, sagte meine Mutter.

Ich holte den Schornsteinfeger.

»Welcher Idiot hat denn hier mit Zeitungen geheizt?!«, schimpfte der, wechselte das Ofenrohr aus und erklärte mir, wie es richtig ging. Danach zog der Ofen wie eine Eins. Auch deshalb hatte ich im Winter immer viel Besuch.

Und dann tauchte eines Tages eine alte Bekannte bei mir auf, die hatte sich gerade von ihrem Freund getrennt, er wollte nach Leipzig ziehen und Künstler sein, sie suchte eine Einzimmerwohnung.

»Eigentlich genau so was hier«, sagte die Bekannte.

Und weil ihre Wohnung noch schöner war und mit Gasetagenheizung, haben wir getauscht. Für Tim und mich war es der Anfang vom Ende. In der Wohnung wohne ich immer noch. Tims Zimmer habe ich nach der Trennung untervermietet.

»Wir fahrn diesmal nich die Touristrecke«, holt Tim mich zurück in die Gegenwart.

»Wie?«, frage ich.

»Zum See!«, sagt Hannes.

Ich gucke ihn an.

»Ach ja, richtig!«, sage ich.

»Hört mir jetzt mal einer zu?!«, nörgelt Tim.

Gregor schüttelt den Kopf.

Tim hat wieder voll den Plan. Das war früher schon so. »Also«, sagt er sehr wichtig. »Wir fahren diesmal nicht die Touristrecke, sondern nach Ützdorf. Ans andere Ende vom See. Da is nämlich kein Mensch.«

Hannes und ich gucken uns an. Ützdorf.

Fünfhundert Meter weit sind wir gekommen, da hört der Weg nach Ützdorf auf und eine Oma im Bikini, die aussieht wie ein dunkelbraunes Ledersofa, fragt: »Wo wollt ihr denn hin?«

»Nach Ützdorf«, sagt Tim.

»Zum See«, sage ich.

»Na watt'n nu?«, sagt die Oma. »Nach Ützdorf jehts da lang …« Sie zeigt nach rechts. »Zum See nach da.« Sie zeigt nach links.

»Ützdorf liegt doch auch am See«, sagt Tim.

»Schon«, sagt die Oma, »müssteta bloß sechs Kilometer Landstraße fahren, weeßickjanunich bei dem Wetter …«

»Och nee!«, sage ich. Es sind ungefähr 34 Grad und ich hab jetzt schon keine Lust mehr. »Ick möchte bitte die Touristrecke fahren!«

»Sei nich so 'n Mädchen, Lea!«, sagt Tim.

»Du kannst mich ma, Timmi!«, sage ich. Wir mögen uns halt immer noch.

Die Jungs sind nett und lassen mich vorfahren. Gegen ihre Fixies sieht mein Fahrrad aus wie ein Traktor. Es fährt sich auch wie ein Traktor.

»Dürfen wir vielleicht irgendwann baden gehen?«, frage ich, nachdem wir zwei Stunden lang durch den Wald gegurkt sind. Ich klebe, ich muss Pipi, ich habe Hunger, Durst und Heimweh.

»Warte doch mal«, sagt Tim, »ditt kann nich mehr weit sein.«

Hannes und ich gucken uns vielsagend an und schütteln die Köpfe. »Mann, bin ich froh, dass ich nicht mehr mit dem zusammen bin!«, flüstere ich.

»Das sind wir alle, Lea«, murmelt Hannes. »Das sind wir alle.« Es war eine recht anstrengende Beziehung. Auch für unsere Umgebung.

»Ick müsste ma watt essen«, meldet sich Gregor zu Wort.

Wir gucken ihn an. Das war sein erster vollständiger Satz heute. Tim und Hannes mussten ihn vorhin noch zu Hause abholen, weil er das Telefon nicht gehört hat. Wie früher. Da musste man von zehn Leuten immer mindestens vier zu Hause abholen, weil die noch nicht wieder nüchtern waren, und den Letzten dann direkt vorm Club aufsammeln: »Wir stehn draußen, kannst jetz rauskommen.«

Bisschen blass sieht er aus, der Gregor. Wir sind eben doch keine zwanzig mehr.

»Da am Parkplatz gab's doch die Imbissbude«, erinnert sich Hannes. Wie gesagt, es ist die ganz alte Truppe. Je länger unser Ausflug dauert, desto jünger fühle ich mich. Beim Anblick der Imbissbude ungefähr wie zwölf. Wir bestellen zweimal Pommes, eine Bockwurst mit Kartoffelsalat und eine Soljanka. Die Frau hinter der Theke sieht aus, als ob sie Trixie hieße.

Trixie ist überfordert. »Wer zahlt jetz die Bocka?«, will sie wissen.

»Ick zahl die«, sagt Tim, »und einma Pommes.«

»Bei mir kommt noch'n Bier dazu«, sagt Hannes.

»Oh ja, ick ooch«, sagt Gregor.

»Jute Idee«, sagt Tim, und ich ergänze: »Für mich 'ne große Apfelschorle.«

Trixie bricht fast in Tränen aus. Mit Einfingersuchsystem tippt sie die Zahlen in die Kasse.

»Ditt macht denn drei Mark achtzich«, sagt sie, »äh, Euros! Mein Mann bringt ditt denn.«

Ihr Mann ist ein hageres Männlein mit Kippe im Mundwinkel und vielen Tätowierungen. Nach zwanzig Minuten knallt er die Bockwurst vor Tim auf den Tisch.

»Besteck kommt nachher«, nuschelt er im Weggehen.

Tim lacht, holt sich selber Besteck und mir einen Löffel.

»Fühlt ihr euch gerade auch so in eure Kindheit versetzt?«, fragt er. »Total!«, sagt Hannes, und Gregor nickt, den Mund voller Pommes.

Trixie kommt mit meiner Soljanka und ruft: »Löffel hatse schon, wa?«

»Hatse«, brummen wir einstimmig.

Gregor streckt sich, dass die Knochen krachen. »Schön so 'n Ausflug«, sagt er und zündet sich eine Zigarette an.

»Könnwa ruhig öfter machen. Und jetzt fahrn wa wieder nach Hause.«

Eine Woche später fahre ich mit Kathi noch mal zum Liepnitzsee. Einfach nur baden.

Es gibt ja tatsächlich noch Menschen, die in Berlin leben und den Liepnitzsee nicht kennen. Also nicht »nicht kennen« – das wäre, als würde man nicht wissen, was das *Berghain* ist –, aber noch nie drin gewesen, das gibt's.

Kathi zum Beispiel kommt aus München, wohnt jetzt in Prenzlauer Berg und hat noch nie zuvor in dem ehemaligen Geheimtipp bei Wandlitz gebadet. Im *Berghain* war sie schon, im Gegensatz zu mir.

»Schön hier«, sagt sie und schüttelt sich. Wir stehen bis zum Bauchnabel im Wasser und warten, dass wir aufhören zu frieren. Der Bauchnabel ist das Schlimmste, finde ich. Ich weiß schon, Männer sind da anderer Meinung.

»Früher waren hier alle nackt«, sage ich und ruckele meinen Bikini zurecht. »Da war das ganz normal.« Ich klinge wie meine Tante Beate. Die bildet sich heute noch was darauf ein, dass sie konsequent nur FKK baden geht. Sogar als sie letztes Jahr mit Onkel Manni auf Kreuzfahrt war, hat sie nicht eher geruht, als bis sie den Nacktbadebereich an Bord gefunden hatte.

»Und wo war der?«, fragt Kathi. »Im Heizraum?«

Ich zucke mit meinen vor Kälte zusammengezogenen Schultern.

Kreischende Kinder rennen ins Wasser. Sie haben Minibikinis an.

Ein kleines Mädchen, zirka vier Jahre alt, trägt einen pinkfarbenen Zweiteiler, der ihm mindestens zwei Nummern zu groß ist. Das Kind würde doppelt hineinpassen. Vermutlich ein abgetragenes Kleidungsstück der großen Schwester. Die Trägerchen sind ausgeleiert, die Schleife hinten dafür umso enger geschnallt. Das rosa Bustier sitzt auf Bauchhöhe und schnürt alles, was darüber liegt, bar und gut sichtbar nach oben. Wie ein Korsett. Der Schlüppi bauscht sich im Wasser wie eine Pluderhose. Das Kind hat Ähnlichkeit mit einer Stoffente.

Eine Oma tritt hinzu und will dem Kind die Trägerchen zusammenknoten.

»Nich!«, sagt das Kind.

»Jetz warte!«, sagt die Oma.

Das Kind zappelt, die Oma knotet. Als sie das Kind entlässt, sind die Trägerchen so kurz, dass eigentlich unmöglich noch Blut bis in die Kinderfingerspitzen fließen kann.

»Kneift«, sagt das Kind und zerrt das Bustier wieder nach unten. Der rechte Knoten löst sich. Das Kind rennt schnell ins Wasser. Jetzt sind wir auch nass.

Wir schwimmen eine Runde.

»Gibt's in Bayern eigentlich FKK?«, frage ich.

»Klar!«, sagt Kathi. »Der ganze Flaucher ist eine einzige Gay-Nacktparade. Schon seit den Siebzigern.«

»Der was?«

»Der Isarstrand in München.«

»Echt?«, sage ich. »Ich dachte, die Wessis wären alle so prüde. Paul kommt aus Flensburg, der windet sich schon, wenn einer Oma am Strand das Handtuch zu klein ist, unter dem sie sich umzieht. Der streitet auch kategorisch ab, dass seine Eltern jemals Sex hatten. Schon gar nicht miteinander.«

»Norddeutsche Protestanten«, sagt Kathi spöttisch. »Wir haben früher immer nackt gebadet. Die ganze Familie. Wäre auch albern gewesen, im Urlaub am Wildbach im Wald mit Badehosen.«

»Und dann direkt zur Beichte und zehn Vaterunser beten?«, feixe ich.

»Nee«, sagt Kathi, »in der Kirche waren wir vorher.«

»Mhm«, sage ich, »nackte Ministranten.«

»Zeline!«, schallt plötzlich die Stimme der Oma über den See.

Im Umkreis von 200 Metern gehen alle in Habtachtstellung. Die Oma war früher bestimmt mal Kindergärtnerin. Breitbeinig steht sie am Ufer und stemmt die Hände in die Hüften. »Zeline!«, ruft sie. »Wo ist dein Oberteil?«

Das Kind scheint sich von den textilen Fesseln befreit zu haben. Nicht nur obenrum. Als wir aus dem Wasser steigen, schwimmt uns ein pinkfarbener Pluderschlüppi vor die Füße. Kathi kickt ihn ins Gebüsch.

»Was is eigentlich mit deiner Wohnung?«, frage ich.

»Ach, hör uff«, sagt Kathi. Manchmal redet sie schon berlinerisch. »Der Eigentümer will jetzt doch nicht verkaufen.«

Im Frühling, als alles so scheiße war bei Kathi, dachte sie noch, sie müsse ausziehen. Sie wohnt in einer ganz ähnlichen Wohnung wie meine damals. Nur ohne Ofenheizung und ohne Balkon.

»Was bezahlst du jetzt eigentlich?«, frage ich. Meine Wohnung kostete damals ungefähr 300 Mark im Monat.

Plus 350 einmal im Jahr für die Tonne *Rekord*. Mit Preissteigerung, Umrechnung und Gentrifizierung …

»550 kalt«, sagt Kathi.

»Uff!«, sage ich.

»Das ist noch günstig«, sagt Kathi. »Solche Wohnungen werden doch heute nur noch als Ferienwohnungen vermietet. Für 700 Euro die Woche.«

700 Euro. Ich werde einfach niemals aus meiner jetzigen Wohnung ausziehen dürfen. Nie, nie, nie. Und wenn, dann nur mit den Füßen zuerst.

Ich gucke meine Füße an. »Wollen wir noch mal rein?«, frage ich.

Kathi nickt. Das Wasser ist glasklar. Es gibt sogar Seerosen. Und Miesmuscheln.

Szenen einer Beziehung

Die Nacht, die mit einem Blutbad in meiner Wohnung enden sollte, begann in einem dieser Läden in Prenzlauer Berg, die sich immer noch »Szene«-Kneipe nannten, obwohl die Szene schon Jahre vorher geschlossen nach Neukölln abgewandert war. Hannes, Tim und ich saßen in einem dieser Hospize für ausrangierte Möbel, auf hässlichen Plüschsofas voll undefinierbarer Flecken.

»Toll hier, oder?«, freute sich Hannes.

»Ich finde, es stinkt«, sagte ich, und Hannes nickte glücklich: »Ja, genau wie früher.«

Ich weiß nicht mehr genau warum, aber ich hatte von Anfang an schlechte Laune. Vermutlich lag es an Tim. Es lag meistens an Tim. Wir führten schon seit Jahren eine On-off-Beziehung. Alle paar Monate machte einer Schluss, dann gingen wir eine Weile mit anderen ins Bett, bis einer von uns aus Langeweile, Mangel an Alternativen oder aus Sehnsucht nach der Geborgenheit eingeübter Verhaltensweisen wieder angekrochen kam.

Ausgezogen war Tim schon lange. Nur die Trennung kriegten wir irgendwie nicht hin. Wie gesagt, mir fehlt dieses Nachtragend-sein-Hormon. Außerdem sind wir beide Scheidungskinder.

Wir waren ganz frisch zusammen, da erzählte er es mir: »Ich kann übrigens nicht Schluss machen.«

»Ich auch nicht«, sagte ich.

»Immer, wenn ich mit einer nicht mehr zusammen sein will, behandle ich sie so lange wie Dreck, bis sie von sich aus Schluss macht«, sagte er.

»Ich auch!«, rief ich glücklich.

Es war bestimmt die romantischste Liebeserklärung, die ich je bekommen hatte. Wir würden auf ewig zusammen sein. Für immer!

Und dann wohnten wir zusammen.

»Wo ist der Apfelsaft?«, fragte ich jeden Morgen.

»Ausgetrunken«, sagte er.

»Und warum hast du keinen neuen gekauft?«

»Jetzt fang nicht wieder an.«

»Klar fang ich an. Du weißt genau, dass ich morgens ein Glas Apfelsaft brauche. Und trotzdem hast du jetzt den dritten Tag in Folge den ganzen Apfelsaft ausgetrunken, den ich gekauft habe! Ohne auch nur einmal neuen zu kaufen!«

»Red nicht so mit mir«, murmelte Tim.

»Du hörst mir überhaupt nicht zu!«, sagte ich.

»Nicht, wenn du mit mir redest, als wäre ich ein Kleinkind!«, sagte er.

»Dann benimm dich nicht wie ein Kleinkind!«, sagte ich.

Meistens war das der Punkt, an dem er in seinem Zimmer verschwand und ich vor Wut in Tränen ausbrach.

Einmal sprach mich der Nachbar auf der Straße an, der Wand an Wand mit uns im anderen Treppenaufgang wohnte. Ich stand vor dem Haus und wollte mein Fahrrad abschließen.

»Geht's dir gut?«, fragte er und sah mir forschend ins Gesicht.

»Muss ja«, sagte ich. Was man eben so sagt.

»Also«, sagte er und trat von einem Bein aufs andere, während ich an dem Scheißschloss rumknüpperte, »wegen deinem Freund …«

Ich ließ das Schloss los und sah ihn an: »Ja?«

»Also …« Er zögerte.

»Ist was passiert?«

»Nein … Also, obwohl …«

»Was denn?!« Langsam wurde ich ungeduldig.

Er atmete aus. »Das wollte ich dich fragen.«

»Was wolltest du mich fragen?« Ich verstand kein Wort.

»Na, ob was passiert ist.«

»Was soll denn passiert sein?« Mir wurde das hier echt zu blöd.

Er wand sich.

»Was denn?!«, rief ich noch mal.

»Schlägt der dich?«, stieß er hervor.

Ich ließ vor Schreck den Schlüssel fallen: »Was?!«

»Dein Freund. Ob der dich schlägt?«

Ich starrte ihn an.

»Ich meine nur«, sagte er. »Ich hab euch neulich Abend wieder gehört … Wie ihr gestritten habt. Und du hast geschrien, dass er dich loslassen soll …«

Oh Gott!, dachte ich. Ich wusste nicht, ob mir irgendwann im Leben schon mal etwas so peinlich gewesen war.

Ich starrte ihn an. Ich wusste, wovon er redete. Tim hatte die Miete nicht überwiesen und sich stattdessen eine Jeans gekauft. Mein Konto war überzogen. Und wir hatten eine Mahnung von der Hausverwaltung im Briefkasten. Ich bin total ausgerastet. Stand in seinem Zimmer und hab auf ihn eingebrüllt, während er versuchte, so zu tun, als wäre ich nicht da. Wenn es eine Sache gibt, mit der ich nicht klarkomme, dann ist es, ignoriert zu werden. Irgendwann fing ich an, mit Fäusten auf ihn einzuschlagen. Da wollte er mich nehmen und nach draußen tragen. Wie einen Kanarienvogelkäfig, der zu viel Lärm macht. Und ich brüllte, er solle die Finger von mir lassen.

Ich guckte den Nachbar an. Ich hatte keine Ahnung, was ich sagen sollte.

»Deshalb hab ich dann gegen die Wand gehauen«, sagte der Nachbar. Ich erinnerte mich vage an so ein wummerndes Geräusch.

»Weißt du, als ich klein war«, sagte der Nachbar, »da hat mein Alter meine Mutter verprügelt und ich konnte nichts machen. Ich ertrag so was nicht. Wenn der das noch mal versucht, dann komm ich rüber. Kannste ihm sagen.«

Tim ist dann ausgezogen. Aber unsere Beziehung haben wir im Gegensatz zu den Wohnverhältnissen nicht geklärt gekriegt. Wir kamen einfach nicht voneinander los. Wenn man lange genug drinsitzt, fühlt man sich am Ende sogar wohl in der Scheiße. Trennung, Versöhnung, Trennung, Versöhnung. Es wurde so langweilig mit der Zeit. Aber der Sex war gut. Außerdem war man nicht alleine. Und man hatte immer was, womit man sich beschäftigen konnte. Dieses Verhältnis war wie ein Hobby. Nur dass dieses Hobby irgendwann zum Leistungssport mutierte und man nichts anderes mehr machte.

Ich versuchte, dem zu entkommen. Ich habe mich wirklich jedem Mann an den Hals geworfen, der gerade des Weges kam. Eine total großartige Methode zur Bewältigung von Liebeskummer! Klappt überhaupt nicht. Tim fühlte sich durch die Nebenbuhler nur angespornt und, na ja, seien wir ehrlich, so viele Menschen gibt es nicht, mit denen man gerne zusammen sein will. Man will vielleicht mit vielen schlafen, aber zusammen sein? Ich denke, das mit den Liebhabern ist wie bei einem Frühstücksbuffet. Es gibt wahnsinnig viele verschiedene Dinge, die du essen könntest: Antipasti und Schweinebraten und Torte und kleine Ananasspieße mit Käse dran und Canapés mit Preiselbeeren.

Und manchmal ist Wochenende und ihr geht brunchen und du stehst vor dem Buffet und möchtest am liebsten alles ausprobieren. Und dann frisst du dich kontinuierlich durch das gesamte Angebot. Von allem ein bisschen. Bis dir so richtig schön schlecht ist.

Aber zu Hause möchtest du doch eigentlich dasselbe Müsli wie jeden Morgen. Wahrscheinlich ist das Liebe, dachte ich, wahrscheinlich wird es den Rest unseres Lebens so weitergehen. Irgendwann werden wir ein Kind kriegen. Das Kind wird erwachsen werden und sich verlieben in jemanden, mit dem es nicht zusammen sein kann, aber sich nicht trennen, und das Kind wird ein Kind kriegen und so weiter.

In dieser besagten Nacht in der Kneipe waren wir wahrscheinlich mal wieder kurz vor einer Trennung.

Wenn man das oft genug macht, hat man den Zeitpunkt irgendwann im Gefühl. So wie meine Tante Erna weiß, wann die Eier gut sind, ohne auf die Uhr zu gucken.

Gegen drei Uhr morgens schleppten wir uns die Ebers-walder hinunter zur U2. Hannes und Tim betrunken und Arm in Arm, ich nüchtern und mit Fahrrad hinter-drein. Tim wurde handgreiflich, wie immer, wenn er zu viel gesoffen hatte.

»Meine Süße«, lallte er.

»Pass auf, wo du hintrittst«, sagte ich.

»Soll ich dein Fahrrad schieben?«, fragte er.

»Nein.«

»Ich pass auch auf.«

»Nein.«

»Gib zu, du magst dein Fahrrad lieber als mich.«

»Zumindest mag ich es so gerne, dass ich es nicht an Betrunkene abgebe.«

Das letzte Mal, als ich Tim an mein Fahrrad range-lassen hatte, sollte er einfach nur den Vorderreifen auf-pumpen. Das Ergebnis war ein kaputtes Ventil. Das Geld für den neuen Schlauch schuldet er mir noch heute. »Er ist ja ein furchtbar netter Kerl, und er meint es auch be-stimmt gut«, hat Tante Erna mal gesagt, »aber was er mit den Händen aufbaut, reißt er mit dem Arsch wieder ein.«

Die Masse der Feierwütigen wälzte sich über die Kreu-zung am Bahnhof Eberswalder Straße.

»Gehen wir noch in die *Kantine*?«, rief Hannes.

»Hannes, du bist so peinlich«, sagte Tim.

»Schon klar«, murmelte ich. »Leute wie du gehen nur noch in Neukölln tanzen, weil das jetzt angesagt ist, stimmt's?«

Tim und ich guckten uns an. Wortlos wendete er sich ab.

Hannes griff nach meinem Fahrrad, um es die Treppen zur U-Bahn hochzutragen.

»Nee, lass mal«, sagte ich. »Ich fahr lieber vor.«

Hannes nickte. Er wusste auch, dass es besser war, wenn Tim und ich jetzt nicht in derselben Bahn saßen.

Ich stieg aufs Rad: »So hab ich noch'n bisschen Bewegung und ihr könnt euch in Ruhe prügeln.«

Hannes umarmte mich, Tim war schon weg. Manchmal wusste ich, dass wir auch Hannes diese Beziehung nicht mehr lange zumuten konnten.

Zu Hause setzte ich mich in eine Ecke meines alten IKEA-Sofas und wartete. Zehn Minuten, zwanzig, dreißig. Wo blieb der Kerl? Wenn ich irgendwas auf den Tod nicht leiden kann, dann ist es Warten. Dieses untätige Rumsitzen und keinen Einfluss haben auf die Dinge (oder Menschen), die da kommen. Es treibt mich zur Weißglut. Und man hat so unendlich viel Zeit, sich auszumalen, was passiert sein könnte. Mein Kopf war ein Multiplexkino und zeigte vier Filme gleichzeitig.

Kino 1: Tim, der einfach zu sich nach Hause gefahren war, ohne mir Bescheid zu sagen, und jetzt komatös auf seinem Bett lag, vollständig bekleidet, während ihm im Schlaf ein Speichelrinnsal aus dem Mundwinkel lief.

Kino 2: Tim und Hannes besoffen in irgendeiner Kneipe, in die sie auf einen »Absacker« noch mal eingekehrt waren, ohne mir Bescheid zu sagen.

Kino 3: Selbe Besetzung, anderer Drehort. Die Tanzfläche in der *Alten Kantine*, in der sich Tim und Hannes gerade an zwei großbusige Ziegen ranmachen.

Kino 4: Es läuft die Fortsetzung von dem Film in Kino 3. Selbe Besetzung, selber Drehort. Tim und Hannes, die von den durchtrainierten Freunden der Zicken so richtig eins aufs Maul kriegen.

Ich entschied mich, den letzten Film bis zum Schluss zu gucken. Danach war eine Stunde rum, seit ich an der Eberswalder losgefahren war. Ich hatte richtig schlechte Laune. Ich beschloss, Tim anzurufen und ihn nach Hause zu schicken.

Da klingelte das Telefon. Tim war dran.

»Mann, Tim, wo seid ihr denn, verdammte Scheiße?«, rief ich genervt. »Ich warte hier seit einer Stunde. Mir reicht's. Ich geh jetzt schlafen.«

»Ey, Lea, warte doch mal«, sagte Tim schwach. Es klang, als würde er sich beim Sprechen die Nase zuhalten. »Mann, voll krass, ey. Hannes und ich wurden gerade zusammengeschlagen.«

»Ach komm, verarsch mich nicht«, murmelte ich und guckte unsicher zum Sofa rüber.

»Nee, Lea, das ist keine Verarschung. Meine Nase ist gebrochen. Hannes und ich sitzen hier im Krankenwagen. Polizei ist auch da.«

Im Hintergrund hörte ich verschiedene Männerstimmen und das Knarzen eines Funkgeräts. Die Wut war weg. Panik schnürte mir die Kehle zu.

»Was'n passiert?«, flüsterte ich.

Tim erzählte.

Ich musste mich hinsetzen.

Es muss ungefähr so gewesen sein: Tim und Hannes kommen auf den Bahnsteig, der überfüllt ist mit lauter Menschen, die genauso besoffen sind wie sie selber. Alle warten auf die U-Bahn, alle wollen nach Hause. Vermutlich hampeln die beiden irgendwie rum und reißen blöde Sprüche. Und wie das so ist in Samstagnächten, wenn Testosteron und Alkohol aufeinandertreffen. Alle wollen eigentlich Sex, nur wenige werden welchen haben, und der Rest trifft sich zur Massenkeilerei. Zum Beispiel auf dem U-Bahnhof Eberswalder Straße. Ein Anlass ist schnell gefunden.

»Guckst'n so?«, sagt dann zum Beispiel ein untersetztes Jüngelchen, das sich bewegt, als würde es sowohl unter den Achseln als auch im Intimbereich von schlimmen eitrigen Furunkeln geplagt.

»Ganz ruhig«, sagt Hannes.

»Haste lange überlegt für den Spruch, wa?«, sagt Tim.

Ein Klon des Jüngelchens taucht auf und spricht die klugen Worte: »Gibs'n Problem?«

Und schon führt eins zum andern.

»Der Witz war ja«, erzählte Tim mir später, »die waren zwei Köpfe kleiner als wir. Hätten wir doch nie mit gerechnet, dass die sich echt trauen würden, uns anzugreifen.«

»Nee, das is natürlich 'n Grund«, erwiderte ich, während ich versuchte, mit einem Waschlappen die Blutkruste von seinem Gesicht zu waschen. Ein Stück bröckelte ab und fiel aufs Sofa.

»Aua!«, sagte Tim.

»'tschuldigung«, sagte ich, »und was ist dann passiert?«

»Dann hat der Erste mir mit einer astreinen rechten Geraden die Nase gebrochen, und der andere hat Hannes auf die U-Bahn-Gleise geschubst.«

»Was?!« Vor Schreck fiel mir der Waschlappen in die Schüssel mit dem Wasser. Die blutige Suppe schwappte über den Rand und hinterließ einen dunklen Fleck auf dem Dielenboden.

»Ach du Scheiße!«, rief ich. »Is ihm was passiert?«

»Nein, er ist wieder hochgeklettert, bevor der Zug kam«, nuschelte Tim unter seiner zerschundenen Nase hervor.

»Es kam ein Zug?!«, rief ich entsetzt.

»Nein, es kam kein Zug!«, murmelte Tim. »Hannes ist nichts weiter passiert, Lea. Er ist gleich wieder hochgeklettert. Er hatte nur eine Platzwunde.«

»Platzwunde?!«, rief ich. »Wo?!!«

»An der Augenbraue, da, wo er auf die Bahnsteigkante aufgekommen ist.«

Mir blieb kurz die Luft weg. »Er ist was?«, rief ich dann. »Ja, sag mal, seid ihr noch zu retten?! Wo ist denn Hannes jetzt?!«

»Jetzt reg dich doch nich so auf!«

»Ich soll mich nich aufregen? Hannes ist im Krankenhaus, deine Nase ist gebrochen, und ich soll mich nicht aufregen?«

Ein neuer Schwall rosafarbenen Wassers schwappte über den Schüsselrand. Ich musste wohl dagegengestoßen sein, als ich aufgesprungen war. Tims Hose war jetzt lila.

»Scheiße«, sagte Tim zu seiner Hose und dann zu mir: »Jetzt beruhige dich doch mal. Hannes ist nich im Krankenhaus. Er ist mit irgendeinem Kumpel noch mal in die *Alte Kantine* gegangen.«

»Nein.« Ich war perplex.

»Doch«, sagte Tim. »Er wollte auf den Schreck noch einen Absacker trinken, hat er gesagt.«

»Du verarschst mich!«, sagte ich und versuchte zu lachen.

»Nein«, sagte Tim. »Es is die Wahrheit.«

»Mit einer Gehirnerschütterung ist Hannes in die *Alte Kantine*?!«, rief ich. »Ihr habt doch echt'n Vollschaden!«

»Wieso denn Gehirnerschütterung? Er hat doch nur einen Kratzer, weil er beim Hochklettern gegen die Kante gestoßen is. Und wieso ›ihr‹? Ich bin doch hier.« Er streichelte meine Hand.

Plötzlich war ich sehr, sehr müde. Ich sah Tim an, seine versaute Hose, das vollgesiffte Sofa und die Lache aus Wasser und Blut auf dem Fußboden. Und dann hörte ich auch das Wummern an der Wand. Der Nachbar war wach geworden.

Und auf einmal, ich konnte gar nichts dagegen machen, kamen mir die Tränen. Die Bilder verschwammen. Ich heulte.

Mit letzter Kraft erhob ich meine Stimme gegen die Wand und rief: »Es ist alles in Ordnung!«

Aus der Reihe
Meine schönsten Unfälle –
Heute: Der Finger

Einmal hab ich mir mit einer Salatschüssel einen Finger abgehackt. Es war Sommer und warm draußen, aber ich ging nicht vor die Tür, weil ich Depressionen hatte und Heuschnupfen und den ganzen Tag nur vor dem Fernseher hockte und Taschentücher vollschnaubte. Entweder heulte ich oder ich nieste. Mitunter tat ich beides gleichzeitig. Das sah nicht schön aus.

Den Grund für mein Unglück kannte ich nicht. Darum geht es schließlich, wenn man Depressionen hat.

Ich vermied Sozialkontakte und sinnvolle Beschäftigungen, Bewegung und Tageslicht. Kurz, ich vermied alles, wovon allgemein behauptet wird, es mache gute Laune. Das war nicht mal geplant. Ich machte das intuitiv richtig. Außerdem vermied ich es, zu essen. Denn Essen macht fröhlich, und fröhlich wollte ich nicht sein. Manchmal, wenn gar nichts mehr ging, gab es mal einen Apfel. Und Salat nur zu besonderen Anlässen. Der Rest war zum Kotzen. Mein Leben war wie alle Staffeln *Germany's Next Topmodel* hintereinander. Mit mir selber in einer 26-fachen Rolle: Heidi Klum und alle ihre Mädchen.

Zum Glück hatte ich in besagtem Sommer diesen Unfall. Man muss in die Scheiße hineintreten, um aus ihr rauszukommen. Und das war eine Menge Scheiße.

Bei einer anderen Gelegenheit war ich auf dem Weinbergsweg mit dem Fahrrad in die Schienen der Straßenbahn geraten und über den Lenker abgestiegen. Solarplexus. Mein Lieblingsaufprallpunkt. Sozusagen der G-Punkt des Unfallopfers.

Du fliegst, dann kommt der Schlag, und dann denkst du: »Atmen. Du musst jetzt ATMEN!« Logisch, dass man dann beim Ausatmen sofort anfängt zu heulen.

Der Krankenwagen kam vom nahe gelegenen Hedwigs-Krankenhaus. Zwei Rettungssanitäter knieten sich links und rechts von mir auf den Bürgersteig. Nette Menschen hatten mich von der Fahrbahn weg dorthin geschafft. Sie hatten mir auch irgendwas Weiches unter den Kopf geschoben und die Polizei gerufen, die wiederum den Krankenwagen rief. Jetzt standen sie alle im Kreis um mich und die Sanitäter herum und nahmen Anteil.

»Wo tut's denn weh?«, fragte der ältere Sanitäter.

Schluchzend zeigte ich auf meine Brust.

»Am Herzen?«, fragte er besorgt.

»Nee, da in der Mitte«, heulte ich.

Der Sanitäter nickte. »Solarplexus«, sagte er, »ditt gucken wa uns gleich mal an.«

Er wendete sich an den Jüngeren. »Dennis, kannste mal?«, sagte er, stand auf und ging zum Krankenwagen.

»Ja, Chef!«, antwortete der Jüngere beflissen und fing an, mir die Bluse aufzuknöpfen.

Im Publikum kam Bewegung auf.

»Dennis!«, rief der Chef vom Wagen her.

»Ja, Momentchen, ick hab's glei«, murmelte Dennis und brach sich schon am ersten Knopf fast die Finger.

»Dennis, watt machst du denn da?«, rief der Chef.

»Verletzung freilegen, dachtick«, sagte Dennis unschuldig. Fast hätte der Ältere ihm eine geschallert.

»Vielleicht vabringwa die Patientin erstma in den Wagen?!«

Wieder Bewegung im Publikum, Enttäuschung machte sich breit. Dennis' Hand erstarrte. Sogar durch den Tränenschleier vor meinen Augen konnte ich es arbeiten sehen hinter seiner Stirn.

»Ähm … Ja, Chef!«, murmelte Dennis und zögerte. Sollte er die Bluse jetzt wirklich wieder zuknöpfen?

Ich hab den Erste-Hilfe-Zivi dann gerettet und den Knopf selber zugemacht. Gleichzeitig fand ich die ganze Situation so unglaublich komisch, dass mein Heulen sich vorübergehend in Lachen umwandelte, was jedoch mit dem geprellten Solarplexus dermaßen weh tat, dass mir sofort wieder die Tränen in die Augen schossen.

Sie brachten mich zum Röntgen ins Hedwigs-Krankenhaus, und als ich mich dort selber freimachte, tat es mir fast ein bisschen leid, dass ich Dennis nicht nach seiner Telefonnummer gefragt hatte.

Irgendwie hab ich das ganze Ding dann überstanden, ohne sichtbare Schäden davonzutragen. Ich sollte aber sicherheitshalber bei meiner Hausärztin vorsprechen. Falls irgendwelche Komplikationen aufträten.

Deshalb schlug Frau Doktor Timmermann nämlich auch gleich die Hände über dem Kopf zusammen, als ich nur wenige Wochen später mit dem Finger zu ihr kam. Aber der Reihe nach.

Es war gegen Nachmittag. Ich war in der Uni gewesen oder im Callcenter, hatte mich bewegt und war unter Leute gekommen, jetzt wollte ich mir zwei Folgen *Raumschiff Enterprise* und einen großen Salat gönnen.

Ich hatte von meiner Mutter eine sehr hübsche Keramikschüssel geschenkt bekommen, außen rot und innen weiß. Da schnipselte ich den Salat hinein, gab Käse, Essig und Öl hinzu, vermengte alles und würzte noch mal.

Genau in dem Moment drang diese männliche Stimme aus dem Wohnzimmer – also aus dem einzigen Zimmer der Wohnung drang die Stimme. (Die Wohnung hatte nur ein Zimmer, plus Küche, Bad, Balkon UND Innenklo. Der reine Luxus.) Die Stimme sagte: »Der Weltraum. Unendliche Weiten …«

Eile war geboten. Das Intro ist schließlich das Wichtigste bei Fernsehserien. Ich meine, guckt irgendjemand noch aus einem anderen Grund *Tatort* als deshalb, weil der Vorspann so geil ist? Ich wollte mich also beeilen.

Ich sollte so etwas einfach nicht tun. Das letzte Mal, als ich mich beeilt habe, ist heute genau einen Monat her. Da bin ich die Treppe runtergefallen. Kopfüber. Das Irre ist: Ich hatte hinterher nicht mal eine Laufmasche. Nur ein treppenstufenbreites Hämatom am linken Oberarm. Genau die Größe, die man als Kind keinem Sozialarbeiter zeigen darf, wenn man seine Eltern noch mal wiedersehen will.

Bei der Sache mit dem Finger hatte ich mich auch beeilt.

»… neue Welten zu erforschen«, sagte der Sprecher im Fernsehen gerade. »Neues Leben. Und neue Zivilisationen.«

Wenigstens die Musik wollte ich noch zu Ende mitkriegen. Ich nahm also die Schüssel mit dem Salat in die linke und das Besteck mit der rechten Hand und hastete ins Zimmer. Genau bei den Worten »Viele Lichtjahre von der Erde entfernt …« flog ich mit Schwung über die Türschwelle, bei »dringt die Enterprise in Galaxien vor« landete ich auf dem Boden.

Ich wollte den Salat retten. Ich hatte den ganzen Tag nichts gegessen. Wenn ich den jetzt verschüttete, müsste ich ganz von vorne anfangen. Deshalb versuchte ich, mich so hinzuwerfen, dass die Schüssel in der Luft blieb, und so kam ich auf die clevere Idee, den Aufprall mit meinen Händen abzuschwächen.

Für einen kurzen Moment dachte ich, dass es funktionierte. Dann klappte die Schüssel in Scherben auseinander.

Der schöne Salat!, dachte ich. »Die schöne Schüssel!«, sagte ich.

Schmerz ist eine merkwürdige Sache. Schmerzen können brennen, pochen, drücken, bohren und stechen. Sie können taub sein oder summen, kreischen oder hämmern. Der Schmerz, den eine Fingerkuppe verursacht, die mittels einer Keramikscherbe vom kleinen Finger der linken Hand abgetrennt wurde, dieser Schmerz ist dumpf. Es drückt ein bisschen. Eigentlich ist es gar kein richtiger Schmerz. Es ist mehr eine plötzliche Hitze, die in den Finger schießt, als ob man den Finger unter heißes Wasser hält.

Ich wunderte mich. Dann fing es an zu pochen. Dann sah ich das Blut. Dann flüsterte ich: »Mein schöner Finger!«

Und als wollte sie mir zustimmen, ergänzte die Stimme aus dem Fernseher: »… die nie ein Mensch zuvor gesehen hat.«

Ich habe den Salat dann nicht mehr gegessen. Stattdessen hab ich mich vom Boden aufgerappelt, mir ein Handtuch um die linke Hand gewickelt und bin zu den Sirenenklängen der US-Science-Fiction aus meiner Wohnung gelaufen. Kurz stand ich unschlüssig im Hausflur. Dann hab ich bei Asti geklingelt, meiner Nachbarin. Sie wurde kreidebleich, als sie die Tür öffnete.

»Mensch Lea!«, sagte sie mit zittriger Stimme. »Watt haste denn jetz wieder angestellt?«

Das ist diese Berliner Herzlichkeit, die ich so liebe. In jedem Mitleid ein Quäntchen Vorwurf. Das bringt einen immer gleich wieder auf den Boden der Realität, egal, in welche unendlichen Weiten man bei der Türschwellenüberquerung gerade noch abgehoben war.

Asti brachte mich in die Praxis von Frau Doktor Timmermann, die war zum Glück gleich um die Ecke.

»Ach du Schreck!«, sagte Frau Doktor Timmermann, als wir zur Tür hereinstolperten. »An wem von euch bleichen Jestalten solln wa denn Erste Hilfe üben?«

Asti zeigte zitternd auf mich. Ich hob zitternd den fleckigen Handtuchbatzen, der mal meine Hand gewesen war.

»Ach Mädchen!«, sagte Frau Doktor Timmermann und besah sich das Unglück. »Da sieht man mal, wie ungesund Salatessen sein kann!« Dann stellte sie fest: »Da kann ick janischt machen. Dit muss jenäht werden!«

Asti wurde gegen Philipp ausgetauscht, einen anderen Nachbarn vom Haus gegenüber, der nämlich ein Auto hatte und mich zum Chirurgen kutschieren musste. Philipp ist außerdem der Sohn der besten Freundin meiner Mutter und war somit ja auch irgendwie zuständig.

»Watt hat se'n jetz wieder anjestellt?«, fragte er Asti am Telefon. »Isse vom Balkon jefalln?«

»Nee«, sagte Asti, »hat sich'n Finger abjeschnitten.«

»Großartig«, sagte Philipp, »bin gleich da.«

Auf dem Weg in die Chirurgie klingelte mein Telefon und meine völlig aufgelöste Mutter war dran. Sie hatte gehört, ich sei vom Balkon gefallen und hätte mir beim Runterfallen noch an der Brüstung die Hand abgerissen. Arme Mama.

Der Chirurg machte ein paar dumme Witze und nähte die Fingerkuppe wieder an.

Wenig später stellte ich mich das erste Mal in meinem Leben auf eine Lesebühne. Seither muss ich keine Unfälle mehr bauen, wenn ich Aufmerksamkeit brauche.

Zweieinhalb Zentimeter

Mein Schuhmacher hat es auch nicht leicht. Nicht nur wegen der niedrigen Krankenkassen-Regelsätze für orthopädische Schuhzurichtungen von Konfektionsware. Der arme Mann hat mich als Kundin.

Ich habe doch diesen Gehfehler. Zweieinhalb Zentimeter Unterschied zwischen links und rechts, dazu Spitz-Senk-Spreizfuß, das volle Programm, aber ich will partout keine orthopädische Maßanfertigung.

»Die sind so hässlich«, sagt die Kundin. Also ich jetzt.

Der Schuhmacher schüttelt den Kopf. »Frau Streisand«, sagt er, bemüht um einen geduldigen Tonfall. Wir führen diese Diskussion nicht zum ersten Mal. »Wenn Sie mich doch einfach mal machen lassen würden, was könnte ich Ihnen für Schuhe bauen! Auf Rezept! Und Sie hätten nicht mehr so einen Klotz am Bein.«

Er schubst meinen linken Schuh, der vor ihm auf dem Tisch steht. Der Schuh wackelt. Ich hab die Sohle in nur vier Monaten so runtergelatscht, dass ich keinen Halt mehr habe. Nach jedem Spaziergang tut alles weh. Füße, Beine, Rücken, Schultern, Kopf. Deswegen fahre ich so viel Fahrrad. Da können meine Sohlen so schief sein, wie sie wollen.

Morgen fliege ich aber nach Zürich. Für drei Tage. Ohne Fahrrad. Ich werde viel rumlaufen. Darum brauche ich die Schuhe. Jetzt. Ich habe nur das eine Paar. Leute mit so Füßen wie ich haben andere Hobbys als Schuhe shoppen. Deswegen sitze ich jetzt in Socken vor meinem Schuhmacher. Schuster darf man nicht sagen. Ist ein Schimpfwort. Sagt der Schuhmacher.

»Sie müssen das ja gar nicht so gründlich machen«, sage ich. »Mit den Sohlen. Muss ja nur drei Tage halten.«

Der Schuhmacher starrt mich an. Dann stützt er sich mit dem Unterarm an der Wand ab und beginnt, rhythmisch seinen Kopf dagegenzuschlagen.

»Drei Tage!«, jammert der Schuhmacher. »Drei Tage sollen sie halten! Dafür hat man nun jahrelang Zertifikate angehäuft. Drei Tage! Dagmar, hast du das gehört?«

Die Assistentin am Verkaufstresen nickt mitleidig.

»Ich hasse Konfektionsschuhe«, seufzt der Schuhmacher und nimmt meine Schuhe mit in die Werkstatt.

Ich hasse Schuhe kaufen. Es ist eine der wenigen Tätigkeiten, bei denen ich mich wirklich richtig behindert fühle.

»Sie müssen hochgeschlossen sein und ein möglichst breites, weiches Fußbett haben. Die Sohle sollte über das Fußbett hinausgehen. Ein leichter Absatz wäre gut, der sich aber zum Boden hin verbreitern muss, auf keinen Fall darf er sich verjüngen! Die Sohle darf nicht hochgesteppt sein, keine Wellenform und kein zu starkes Profil haben. Am besten sollte der Schuh über dem Knöchel schließen, damit ich ordentlichen Halt habe. Auf jeden Fall sollte er durch Riemen oder Ähnliches enger zu stellen sein, da mein linker Fuß kleiner ist als der rechte.« Nach dieser Erklärung bricht Schuhverkäufern generell der Schweiß aus. Sie schicken mich dann meist in die Rentnerabteilung zu den Sandalen von beige bis taubengrau. Wenn ich dann noch hinzufüge: »Und elegant aussehen sollen sie auch!«, dann mahlen die Kiefer der Fachverkäufer, als würden sie ihre Ware zerkleinern.

Ich wäre deswegen auch fast nicht zum Abiball gegangen.

»Wie kann ich Ihnen helfen?«, fragte die nette ältere Dame im zwanzigsten Laden.

Ich brach in Tränen aus: »Gar nicht!«, rief ich. »Keiner kann mir helfen! Es gibt keine Schuhe für mich! Das, was ich brauche, haben Sie sowieso nicht!«

Sie hatte und sie brachte und ich ging zum Abiball, und gelobt sei Günter Schabowski, dass wir jetzt Westen haben, im Osten war das alles noch viel schlimmer, sagt meine Mutter, denn die musste damals mit mir Schuhe kaufen.

Sie war es auch, die am 10. November 1989 meine hundert Westmark Begrüßungsgeld in den ersten Schuhladen getragen hat, der ihr am Ku'damm entgegenleuchtete. Direkt aus der S-Bahn raus, in den Schuhladen rein, Winterstiefel fürs Kind gekauft, Geld weg. Mann, war ich sauer!

»Würden Sie bitte die Schuhe ausziehen?«

Das ist die andere Sache. Ich ziehe meine Schuhe nicht aus. Niemals. Nicht, nachdem es mich jedes Mal so viele Nerven kostet, sie zu kaufen. Am Ende kommen die noch weg! So eine Absatzerhöhung ist teuer und die Kasse zahlt nur zwei im Jahr, und außerdem kann ich nicht laufen ohne Schuhe!

Zumindest Letzteres sage ich der netten Zollbeamtin am Flughafen Tegel am nächsten Tag auch. Wer fliegen will, muss freundlich sein.

»Dann setzen Sie sich bitte dort auf den Stuhl«, sagt die nette Dame routiniert und bestimmt wie eine Krankenschwester beim Gynäkologen. Sie ist gewohnt, mit Körperlichkeiten umzugehen. Schließlich macht sie seit Jahren täglich *heavy petting* mit mehreren hundert Fluggästen, inklusive Brustkrebsvorsorge und Schlüpferkontrolle.

Ich setze mich brav und hebe den rechten Fuß. Das Gerät in der Hand der Zollbeamtin macht ein Geräusch wie R2-D2, der kleine Roboter in *Star Wars*.

»Danke«, sagt die Zollbeamtin, »jetzt den andern.«

Mein linker Fuß macht ein Geräusch wie Chewbacca, der Riesen-Teddy-Alien aus *Star Wars*. Nun muss ich doch die Schuhe ausziehen, damit die Zollbeamtin meine Schuhe zum Röntgen bringen kann. Meine Schuhe werden ständig geröntgt. Vor jedem Flug. Ich musste erst richtig schwer krank werden, bevor ich auch nur halb so viel geröntgt wurde wie meine Schuhe.

Ich sitze und warte und komme ins Grübeln.

Vielleicht wäre das mal eine Gesundheitsreform, mit der sich wirklich sparen ließe: Man verpasst dem Bundesgrenzschutz gleich noch eine Medizinerausbildung. Wenn sie einen sowieso überall anfassen, können sie eigentlich auch gleich Blutdruck messen. Urinproben und Rektaluntersuchungen machen sie ja schon gelegentlich.

Die Zollbeamtin kommt zurück. »Bitte schön, Ihre Schuhe!«, sagt sie.

»Danke sehr«, sage ich und ziehe mich wieder an. Von hier an habe ich die Verantwortung für Leben und Handeln abgegeben. Am Schalter. Wie im Krankenhaus. Zusammen mit dem Großgepäck.

Für die nächsten Stunden muss ich mich um nichts, aber auch gar nichts mehr kümmern. Von nun an heißt es warten und die Anweisungen des Flugpersonals befolgen: ausziehen, anziehen, Boarding, hinsetzen, anschnallen, abschnallen, essen, trinken, Klapptisch hoch, Klapptisch runter. Ab und zu muss ich nur »ja«, »nein«, »Käse« oder »mit Milch, bitte« sagen. Fluggäste sind doch nichts anderes als Patienten auf der Intensivstation: kindlich hilflos, ständig in der diffusen Angst zu sterben, und irgendwer kotzt immer.

Und Stewardessen sind bei genauerer Betrachtung Krankenschwestern in bunt. Sie müssten nur ihre Uniformen bleichen, dann verkörperten sie immer noch dieselbe Wichsphantasie und bräuchten nicht mal eine Umschulung. Man könnte auch einfach alle Fluggäste an den Tropf hängen, überlege ich, und jedem eine Ente unterschieben. Das spart noch mal Personal, und man hat nicht ständig die Leute auf den Gängen rumrennen.

Umsteigen in Düsseldorf. Nervös wie ein werdender Vater auf der Entbindungsstation hetze ich über den Flughafen, der viel zu groß ist für die kleine Scheißstadt. Zweimal knicke ich mit dem Fuß um.

Irgendwie gerate ich wieder in eine Kontrolle, noch mal Schuhe aus, noch mal anfassen. Sie brauchen ewig, bis sie mir einen Stuhl organisiert haben, und dann machen sie auch noch dumme Witze.

»Ihr Säcke«, möchte ich rufen, »'türlich stinken die, was glaubt ihr denn, wie viele Paar Schuhe ich habe?!!!« Stattdessen schweige ich und gucke nur böse. Denn würde ich aufmucken, könnte ich hier so lange warten wie ein Hartz-IV-Empfänger auf seine Zahnprothese.

Irgendwann entlassen sie mich doch. Und als mir aufleuchtet, dass ich gar nicht noch mal in die Visite gemusst hätte, weil ich ja nur auf Durchreise bin, da weiß es auch schon der ganze Flughafen: »Frau Lea Streisand wird dringend zu Flugsteig X95 gebeten. *Miss Lea Streisand, travelling from Berlin to Zurich, please go to Gate X95 immediately.* Letzter Aufruf für Frau Lea Streisand!«

Die Kollegin am Boarding-Schalter guckt missbilligend über ihre Brille. »Sind Sie die Frau aus Berlin?«

»Jawohl«, keuche ich.

Schnippisch schürzt sie die Lippen: »Na, der Bus ist weg.« Sie hätte auch sagen können: »Sie haben übrigens Diabetes und schätzungsweise noch zwei Monate zu leben. Ihre Spenderniere haben wir gerade weitergegeben.«

Ich bin gelähmt vor Schreck. Dann fange ich an zu schreien: »Ich muss in dieses Flugzeug!«

Die bebrillte Dame wird unverschämt: »Da hätten Sie eben mal rennen müssen!«

Warm durchströmen mich die Wellen des Triumphes. Schuhe hin oder her, ich bin nicht umsonst Besitzerin eines Schwerbeschädigtenausweises, Status G, Grad der Behinderung 60. Mit dem kann ich nicht nur Regionalbahn fahren bis an die Ostsee. Ich kann Sitzplätze im Bus beanspruchen, ungestraft falsch parken, und ich komme ermäßigt in alle staatlichen Theater und Museen. Ganz früher hatte ich sogar noch den Vermerk »B« auf dem Ausweis drauf – das steht für »Begleitung« und bedeutet, dass der/die Begleiter/in sogar kostenlos mitkommen kann, während der/die Ausweishalter/in nur den ermäßigten Preis zahlt. Damals musste ich ungefähr zweimal die Woche mit meiner Mutter ins Theater gehen.

Irgendwann haben sie mir das »B« dann weggenommen. Wahrscheinlich war aufgeflogen, dass ich in der S-Bahn statt einer Begleitung regelmäßig mein Fahrrad kostenlos mitnahm. Ich kann mir den Sachbearbeiter vom Landesamt für Gesundheit und Soziales, kurz LaGeSo, bildhaft vorstellen, wie er vor seinem Computer sitzt und empört ausruft: »Watt'n, alleene loofen kann se nich, aber Fahrrad fahren jeht! Ick gloob, ick spinne!«

Man kann nicht alles haben. Auf jeden Fall habe ich diesen Sonderstatus und weiß ihn einzusetzen.

»Gute Frau«, sage ich jetzt meinerseits etwas schnippisch zu der bebrillten Dame am Düsseldorfer Flughafen. »Gute Frau, ich wäre ja gerne gerannt. Aber leider kann ich das nicht. Ich habe nämlich einen Gehfehler!« Es macht immer wieder Spaß, Leuten zuzugucken, wie sie die Kontrolle über ihre Gesichtszüge verlieren.

»Ach so, na ja, dis kann man ja nich wissen, ach du Schreck, das tut mir jetzt aber leid, Entschuldigung, ach Gottchen, na ich werd mal gucken, ob ich noch jemanden finde, der Sie fahren kann, brauchen Sie einen Rollstuhl?« Sie überschlägt sich fast.

Ich antworte huldvoll: »Es geht schon, danke.«

Wenig später fahre ich in meinem Privatbus über das Rollfeld, oben an der Gangway des Fliegers erwarten mich zwei Stewardessen: »Frau Streisand, können wir Ihnen noch irgendwas bringen?«

»Nein, danke!«, sage ich. Aber nächste Woche hole ich mir ein Rezept für die Maßanfertigung.

Versprochen!

Das Unbewusste
wohnt im Badezimmer

Das Badezimmer ist von jeher ein Ort der Reinigung, des Intimen. Hier kommen Dinge zutage, die nicht für die Öffentlichkeit bestimmt sind.

»Unser Bad stinkt!«, klagte ich seit Jahren. Eimerweise hatten wir Chlor- und Abflussreiniger in alle Öffnungen des Raumes gekippt. Jahrelang. Vergebens.

Ich bin, wie gesagt, kein besonders ordentlicher Mensch, deswegen dachte ich immer, es wäre meine Schuld, dass es im Bad so stinkt. Oder die Schuld meiner Mitbewohner. Niemals jedoch kam ich auf die Idee, dass man an dem Gestank irgendetwas ändern könnte.

Bis Paul bei mir einzog und wir beschlossen, es uns schön zu machen. Also genau genommen beschloss ich das.

»Ich will so ein Brett da oben für die Medikamentenkisten und eines da unten für das Klopapier. Und dann will ich noch eins in der Mitte für die Schminksachen«, sagte ich.

Paul sagte »Ja« und nahm den Bohrer in die Hand, um die Wand zu penetrieren. DER Bohrer, DIE Wand. Ist klar, ne?

Zwei Tage später kam der Elektriker. Ich hatte bei der

133

Hausverwaltung angerufen und erzählt, dass ich aus Versehen in die Stromleitung über dem Waschbecken gebohrt hatte, damit meine Hausratversicherung den Schaden übernahm.

Der Elektriker stand bei uns im Bad und starrte die Wand an. Das Loch, das Paul für die Halterung des Regalbretts gebohrt hatte, war leider wirklich in genau derselben Fuge, die zur Steckdose für den Rasierapparat führte. Der Elektriker grinste.

»Watt is denn ditte?!«, feixte er. »Da war ja 'n rischtscher Profi dran, wa?«

»Na ja«, sagte ich.

»Na ja«, sagte er.

»Ja«, sagte ich.

Der Elektriker stemmte die Wand auf, zog die Kabel heraus, wechselte eines aus, stopfte alles zusammen wieder hinein und spachtelte die Wand wieder zu, zwei Tage später kam der Fliesenleger, um die vier Fliesen zu erneuern, die der Elektriker hatte kaputtmachen müssen, um an die Kabel ranzukommen, und eine knappe Woche später sah unser Badezimmer wieder genauso aus wie vor Pauls Einzug. Der Gestank war auch noch da.

Die Hausverwaltung schickte einen Klempner der Firma Rohrfrei. Der Klempner legte sich in unserem Badezimmer auf den Boden und stellte fest, dass der Wannenabfluss defekt war. Irgend so ein Übergangsteil war rausgebrochen, und nun lief das Wasser in freiem Fall in den offenen Abfluss.

»Na, ditt gloobick, dass ditt stinkt«, fachsimpelte der Klempner mit halbem Oberkörper unter der Badewanne. »Det is ja quasi Prinzip Plumsklo hier. Könn' Se sich ja gleich im Gully duschen!«

Er versprach, dass wir baldestmöglich eine nigelnagelneue Badewanne kriegen sollten, mit funktionierendem Abfluss und allem Drum und Dran.

Ein paar Tage später entdeckte ich einen kackbraunen Dreckwasserstreifen unter dem Warmwasserspeicher im Bad.

»Stinkt nich, is nur Rost!«, sagte Paul fachmännisch und wischte den Streifen weg.

Eine Woche danach hatte ich den Badezimmerfenstergriff in der Hand. Wir sollten ja viel lüften. Bis die neue Wanne käme.

Immerhin gab es schon einen Termin, an dem die neue Wanne eingebaut werden sollte. Zwei Wochen später nämlich. Dieser Termin musste aber wiederum mit den Nachbarn unter uns koordiniert werden, weil die Klempner von Firma Rohrfrei bei denen durch die Decke mussten. Die Nachbarn waren aber zwei Wochen nicht da. Oder sind nicht ans Telefon gegangen. Jedenfalls hat Firma Rohrfrei UNS schließlich aufgetragen, mit den Nachbarn einen Termin zu machen. Und der war zwei Wochen später. Bis dahin sollten wir viel lüften, hat Firma Rohrfrei gesagt. Und nun war der Fenstergriff kaputt.

Und schließlich kam Paul eines Morgens wieder ins Bett, um mich zu wecken.

Was'n das für'n Plätschern?, dachte ich schlaftrunken. Regen? Kann nich sein, Sonne scheint. Bach? Gibt's hier nicht. Klospülung? Klingt anders.

Es gab nur eine Lösung: »Paul«, murmelte ich, »du hast die Dusche nich richtig abgedreht.«

Paul räusperte sich. »Das ist nich die Dusche«, sagte er, und irgendwas war in seiner Stimme, das mich die Augen öffnen ließ.

»Reg dich jetzt nicht auf!«, sagte Paul. Wenn jemals ein Satz dafür geschaffen war, jemanden aufzuregen, dann dieser. Reg dich nicht auf. Die Adrenalinspritze unter den Beruhigungen. Ich saß aufrecht im Bett.

»Was ist los?!«, fragte ich.

»Ähm«, sagte Paul, »der Boiler läuft aus …«

Der Warmwasserspeicher war über Nacht durchgerostet und übergelaufen und hatte die halbe Wohnung überschwemmt.

Der Klempner von Firma Rohrfrei hat sich gefreut: »Da könn wa'n schönen Schrottschein schreiben«, hat er gesagt. Selbstverständlich hat der Klempner das nicht zu mir gesagt, sondern zu Paul, obwohl ich die Hauptmieterin bin und mein Name im Mietvertrag steht und obwohl ich alle Termine gemacht hab. Scheißegal. Ich durfte Kaffee kochen. Mein Arsch hat mehr Aufmerksamkeit gekriegt als ich.

Wahrscheinlich gibt es bei Klempnern so eine Klausel im Arbeitsvertrag: »Niemals mit Frauen über fachliche Dinge reden«. Man weiß ja, was dabei rauskommt. Sie sagt: »Uhu, ich hab da eine feuchte Stelle …« Er sagt: »Soso. Dann werden wir uns das mal anschauen … Oho, das ist aber wirklich feucht. Da müssen wir wohl mal ein Rohr verlegen …« Und wenn's ganz schlimm kommt, dann holt er noch seinen Kollegen. Das Internet ist voll mit so was.

Man kann keine unverfänglichen Sachen über einen Raum schreiben, in dem jeder sofort die Hose runterlässt! Wo man sein Innerstes nach außen kehrt, sich reinwäscht, parfümiert und Schminke auflegt. Braucht man sich ja nicht wundern, wenn das Unbewusste hochkommt wie eine leere Shampooflasche, die man unter Wasser drückt. Oder wie Pupsblasen in der Badewanne. Kein Wunder, dass es müffelt!

»Schaffen Sie das denn heute?«, hab ich mich getraut zu fragen, und der Klempner hat schallend gelacht und ein bisschen Kaffee auf seine Hose geschüttet.

»Morgen?«

Der Klempner schüttelte den Kopf. »Sie brauchen ja 'nen neuen Speicher. Früher hatte unsere Zuliefererfirma sowatt vorrätig, aber heute muss dit allet erst jeordert werden, und denn bleibt der Lastwagen stecken … Na ja, Sie kennen dit …« Der letzte Satz ging wieder an Paul.

»Heißt das, wir haben jetzt zwei Wochen kein warmes Wasser?«, fragte ich.

»Wieso? Sie können doch schön im Topp Wasser anwärmen, kippen Se sich über'n Kopp, wern Se ooch sauber!«

Ich glaube, er fand das lustig.

»Nein«, sagte er kumpelhaft, »im Laufe der nächsten Woche sollte dit Problem behoben sein. Wenn allet jutjeht …«

Die ganze Geschichte ist jetzt ein Jahr her. Die Badewanne ist genau dieselbe. Der Gestank auch. Seit gestern haben wir einen neuen Duschvorhang. Aber das ist wieder eine ganz andere Geschichte.

Wärmepflaster

Das Gewissen persönlich saß mir im Genick den ganzen letzten Monat. Es fühlte sich jedenfalls so an. Blockade in der Brustwirbelsäule, volle Kanne, vier Wochen lang.

»Hihi, du hast Brust gesagt«, kicherte mein bester Freund Hannes, als ich es ihm erzählte. Er hat da so eine Fixierung. Wie ich im Rücken. Nur dass seine tiefer liegt, im Unterbewusstsein. Manchmal überlege ich, ob ich mir nicht doch erwachsene Freunde anschaffen sollte.

Mein Rücken tat jedenfalls furchtbar weh. Es fühlte sich an, als würden mit kleinen Hämmern rostige Nägel in die Zwischenräume meiner Wirbelkörper geschlagen und nachher mit glühenden Eisenzangen wieder entfernt.

»Probier doch mal Wärmepflaster«, sagte Hannes. »Ich steh total auf die. Am liebsten würde ich mich komplett mit Wärmepflastern einkleistern, dann könnte ich auch im Winter im T-Shirt auf die Straße. Stell dir das mal vor! Als würde man in einer Badewanne spazieren gehen. Badewanne to go.«

Ich bin dann lieber zum Osteopathen gegangen. Der ruckelte eine halbe Stunde an meiner Hüfte herum, während er selber dabei lustig vor- und zurückschaukelte, was jetzt viel erotischer klingt, als es war, und dann sagte er: »So. Das ist wirklich eine heftige Blockade, die Sie da haben. Ich werde jetzt einen Hebel anwenden, um den Wirbel zu lösen. Keine Angst, das mache ich auch bei achtzigjährigen Damen.«

Er nahm meinen Kopf in beide Hände. Dann sagte er: »Nicht erschrecken, das kann jetzt sehr laut werden.«

Ich wollte noch fragen, ob durch meine Schmerzensschreie oder den Bruch meiner Wirbelsäule, da plötzlich drehte er schnell meinen Kopf nach links oben. RUMS machte es in meiner Wirbelsäule. Es klang, als ob zwei Blechcontainer gegeneinandergestoßen wären.

»Haaaa!«, machte ich und fing vor Schreck an zu lachen.

Der Osteopath setzte eine kritische Miene auf und sagte: »Das war schon ganz gut. Jetzt machen wir das Gleiche noch mal zur anderen Seite.«

»Ach du Scheiße!«, murmelte ich, der Arzt griff wieder meinen Kopf und drehte ihn zur anderen Seite. Es klang wie ein Auffahrunfall auf der A3. Mehrere Schwertransporter rasten in meiner Wirbelsäule ineinander. Zumindest hörte es sich so an.

Aber es tat nicht mehr weh. Ich guckte nach links, ich guckte nach rechts. Ich konnte mich wieder bewegen.

»Was ich Ihnen vorher nicht gesagt habe«, sagte der Osteopath, »das kann jetzt im Laufe der nächsten Woche starken Muskelkater geben. Da ist ja ein heftiger Impuls in das System hineingegeben worden, den muss das System erst einmal verarbeiten.«

»Was?«, sagte ich.

Der Arzt lächelte. »Das sage ich den Patienten immer erst hinterher, sonst sind sie so angespannt.«

Gestern Abend setzte der Schmerz ein. Jetzt FÜHLE ich mich auch wie ein Unfallopfer auf der A3.

Ich glaube, ich rufe mal Hannes an, vielleicht hat er noch ein paar Wärmepflaster für mich.

Hartgekochte Eier

Ich habe ja einen ziemlich weiten Begriff von »Natur«. Weit muss es sein. Ich bin ein solches Klischee-Stadtkind, ich gerate schon in Verzückung, wenn ich in Pankow an der nassen Ecke vorbeikomme, einer Baubrache, wo früher die Mauer stand.

»Natur!«, kreische ich, wenn mir ein Grashalm bis zum Knie geht. Deshalb raste ich auch immer total aus, wenn ich mal aus der Stadt rauskomme: »Woah, guck mal, Kühe!«

Ich klebe an der Fensterscheibe der »Heidekrautbahn«. Wir fahren nach Klosterfelde. Der Freund vom Freund des Freundes von Tante Erna hat dort ein Haus, das wollen wir uns angucken.

»Stadtkind!«, sagt Paul und schüttelt den Kopf. Paul findet Natur unheimlich, er ist mit ihr aufgewachsen. Ich dagegen – groß geworden mit Fenster zum Hof – finde es schon irre, dass man so weit gucken kann, ohne ein einziges Haus zu sehen.

»Will jemand eine Stulle?«, fragt meine Mutter.

»Wir sind gerade losgefahren«, sage ich.

Meine Mutter zuckt die Achseln und beißt zu.

Ich gucke sie an. »Hast du auch hartgekochte Eier bei?«

Meine Mutter liebt hartgekochte Eier. Auf jeder Bahn-fahrt, die länger dauert als dreißig Minuten, fängt meine Mutter an, irgendwelche Eier abzupellen. Die Urlaube meiner Kindheit dufteten nach einem Gemisch aus dem leicht fauligen Geruch kalter, harter Eier, kombiniert mit einem Hauch vollgepisster Zugtoiletten und abgestande-nen Rauchs. Wir hatten kein Auto. Meine Mutter hat erst nach der Wende den Führerschein gemacht. Da war sie vierzig. Sie hat drei Anläufe gebraucht, dann hatte sie die Pappe. Wir waren wahnsinnig stolz auf sie. Sie hat sich nie wieder hinter ein Lenkrad gesetzt.

Als ich klein war, sind wir jeden Sommer mit dem D-Zug an die Ostsee gefahren. Die Züge zur Ostsee wa-ren immer überfüllt, die Gänge verstopft und die Abteile besetzt mit Omas. Ich war ein entzückendes Kind. Blon-de Löckchen, blaue Augen.

»Du warst so ein süßes Kind!«, sagt meine Mutter immer. Ich weiß nie, ob das ein Lob oder ein Vorwurf sein soll. Die Omas im D-Zug an die Ostsee fanden mich auch süß. Deswegen boten sie mir auch unablässig Kekse und Schokolade an.

Nun ist das ja mit kleinen Kindern wie mit Hunden: Bei bestimmten Nahrungsmitteln hören sie einfach nicht auf zu fressen. Bis nichts mehr da ist. Oder nichts mehr reinpasst. Meine Mutter stand nun vor der Wahl, die Überfütterung seitens der Omas entweder zu unter-binden, dann säße sie in einem Abteil voller beleidigter Omas mit einem schreienden Kind, das sich vor Wut auf dem Boden wälzte. Oder sie ließe die Fremdfütterung zu, dann hätte sie in absehbarer Zeit mit einem kotzenden Kind auf die stinkende Zugtoilette zu rennen. Vielleicht hat sie deshalb ihre Leidenschaft für hartgekochte Eier entwickelt. Weil sie so schön satt machen. Passt weniger Schokolade ins Kind.

»Nee«, unterbricht meine Mutter meine Gedanken. »Harte Eier gibt's erst bei Ausflügen mit Übernachtungen.«

Vom Bahnhof Wandlitzsee fahren wir nach rechts auf der B109 Richtung Prenzlau.

»Sehr gemütlich!«, brüllt Paul, während ein Rudel Motorräder an uns vorbeiknattert. Links *Atzes Angelladen*, rechts *Fleischerei Wolff*, am Straßenrand gibt's Knupperkirschen.

»Wenn wir in dem Tempo weiterfahren, kommen wir nie an«, nörgelt Paul. Er hat panische Angst davor, in Brandenburg übernachten zu müssen. Westkind!

»Klosterfelde 6 km«, verkündet ein gelbes Schild. Weizenfelder, so weit das Auge reicht.

»Monokulturen«, sagt Paul.

Ich höre ihm nicht zu und rufe: »Schwalben! Sind das Schwalben?« Grazile Vögelchen tanzen über das Feld und stürzen in die Tiefe. Es sieht aus, als würden sie an unsichtbaren Fäden hin und her schwingen.

Links hinten ragen Windräder in den Himmel. »Du weißt schon, dass die Vögel töten«, sagt Paul.

»Du interessierst dich nicht die Bohne für Vögel!«, sage ich.

Paul kichert.

Rechts nähert sich das Ortseingangsschild von Klosterfelde, direkt dahinter das erste Haus und an dessen Fassade ein Werbeplakat: »Berlin, du bist so wunderbar«.

In einem der Vorgärten steht eine aus Baumstämmen zusammengenagelte Motorradskulptur. Ein paar Meter weiter ragt ein fest montiertes Schild aus verwilderten Büschen, das irgendwie nach Tankstelle aussieht. Es wirbt für »DDR-Waffen: Reparatur, An- und Verkauf«.

Ein Autohaus gibt es auch. Und eine Imbissbude mit dem sprechenden Namen *Zum heißen Würstchen*. Die große Attraktion von Klosterfelde ist das Internationale Artistenmuseum. Es gibt sogar offizielle Sehenswürdigkeitenschilder, die darauf hinweisen. Leider ist der Betreiber vor kurzem gestorben. Er war 85 Jahre alt. Das Museum ist geschlossen.

Klosterfelde ist eines dieser Brandenburger Dörfer, deren Struktur denen von Halsketten ähnelt. Straßenangerdorf heißt so was. Die B109 ist die Kettenschnur, an der sich die Häuser wie Perlen entlangziehen. In der Mitte des Ortes ragt als größte Perle von Klosterfelde eine kleine, dicke Kirche in den Himmel, ein frisch restaurierter Bau aus dem dreizehnten Jahrhundert mit Kreuzrippengewölbe und holzgeschnitztem Altar aus dem siebzehnten Jahrhundert. Während der Sommerferien ist die Kirche täglich für Besucher geöffnet.

Es gibt auch einige Gründerzeitbauten im Ortskern, die von Klosterfeldes Wohlstand als Küchenmöbelfabrikstandort im neunzehnten Jahrhundert künden.

Wenn man einmal ganz durch Klosterfelde durchgefahren ist, kommt ganz hinten, noch hinter dem Ortsausgangsschild, der Lotschesee, der aus einem großen Teil mit Zeltplatz, Angelstelle und eigener Heidekrautbahnstation und einem kleinen Lotschesee mit einer winzigen Badestelle besteht. Das Wasser erinnert an

Apfelsaft. Naturtrüb. Aber der Boden ist toll. Es gibt gar keine Steine, die piken, wenn man reingeht.

Direkt neben der Badestelle ist das *Haus Lotschesee* mit Hotel und Restaurant. Pauls Nackensteak mit Pommes ist okay und preiswert, mein gemischter Salat in Teigtasche dagegen eine Zumutung mit Joghurtdressing. Mamas Apfel-Streuselkuchen wiederum schmeckt zum Reinlegen gut, obwohl sie eigentlich gar keinen Hunger hat wegen der Stullen von der Hinfahrt.

Apropos. So langsam gilt es, den Rückweg zu planen. Mama hat herausgefunden, dass jeder zweite Zug der Heidekrautbahn in Klosterfelde eingesetzt wird.

»Einen von denen müssen wir kriegen!«, sagt sie. Es sei schließlich Sonntag und außer uns vermutlich noch schätzungsweise eine Million andere Berliner in den Barnim zum Baden gefahren. Und alle hätten ihre Fahrräder dabei.

Meine Mutter macht jeden Sommer mit ihren Freundinnen eine mehrtägige Fahrradtour. Sie hat schon so viele Züge wegen Überfüllung fahren lassen müssen, weil die Bahn trotz stetigen Ausbaus des Fahrradtourismus nicht auf die Idee kommt, am Wochenende mal zusätzliche Fahrradabteile an die Regionalzüge zu hängen. Die Radtoursaison geht ja auch nur von Anfang März bis Ende Oktober. Dank Mamas Vorsorge sind wir eine halbe Stunde eher am Bahnhof.

Die Bahnhofstraße verläuft neben der Kirche. Die Bahnhofssiedlung ist sozusagen das Collier an der Halskette B109. Zu meiner Mutter großem Glück steht die leere Bahn schon bereit. Wir verstauen die Räder. Der Fahrer trinkt Kaffee in der Bahnhofskneipe, die direkt an den Bahnsteig anschließt. Ein paar Gestalten hängen am Tresen.

»Ick muss ja ooch zu Hause«, murmelt der eine.

»Der Zuch fährt do erst neununzwanzich«, sagt der andere.

Das Bier wird frisch gezapft.

Als der Zug 20:29 Uhr von Klosterfelde abfährt, stehen fünf Räder in dem Fahrradabteil, das offiziell für zehn Fahrräder ausgelegt ist. In Wandlitzsee kommen ungefähr zehn dazu.

»Alle Räder ins Fahrradabteil!«, ruft die Stimme des Fahrers aus den Lautsprechern, als Leute versuchen, sich in der Zugmitte irgendwo reinzuschummeln.

»Die sind sonst nicht versichert«, weiß jemand.

In Wandlitz müssen die meisten Radfahrer draußen bleiben.

»Ich hab schon zwei Züge fahren lassen«, erzählt eine Frau, die es gerade noch geschafft hat.

In Basdorf ist das Fahrradabteil so voll, dass drei Spanier ihre Rennräder einfach auf die anderen Fahrräder obendrauf legen. In Schönwalde hat der Zugführer dann resigniert.

Wir sind entspannt. Unsere Räder bilden zwar das Fundament des Fahrradberges, aber Karow ist Endstation. Da steigen eh alle aus. Und wir kommen wohlbehalten nach Hause zurück. Zum Abendbrot mach ich mir eine Stulle mit Ei. Hatte ich plötzlich so Appetit drauf.

Tinder

Mein schwuler Freund Matze hat mich zum Essen eingeladen. Wir sitzen bei einem kleinen, lauten, überfüllten Italiener und schieben uns Speisen in den Mund, zu denen meine Freundin Frieda Orgasmus-Essen sagen würde. So gut schmeckt es. Ich seufze leise.

Mit uns am Tisch sitzt noch ein Pärchen. Woanders war einfach nirgendwo was frei. Die beiden wirken hier fehl am Platz wie Tiefkühlpizza. Sie schaut den Kellnern hinterher, er fixiert unterm Tisch sein Telefon. Sie haben sich nichts zu sagen. Und zwar nicht auf diese verletzte oder gelangweilte Art, die man von lange verbandelten Paaren kennt. Die beiden haben sich augenscheinlich noch nie füreinander interessiert. Aber warum sitzen sie dann hier?

»Was machen die da?«, frage ich Matze.

»Tinder«, sagt er, als würde er einen Krümel wegwischen.

»Was?«

»LEA!«

»Entschuldigung, ich bin in einer festen Beziehung! Ich kenne mich nicht so aus mit euren Single-Sex-Spielzeugen.«

»Tinder ist eine Hetero-Dating-App fürs Handy«, erklärt Matze. »Du gibst ein, worauf du stehst, und dann kriegst du Fotos von Frauen. Die kannst du entweder antippen oder wegwischen.«

»Und dann?«

Matze zuckt die Achseln. »Dann triffst du dich mit denen. Wenn die dich auch angetippt haben. Manchmal hat man dann schlechten Sex. Meistens sitzt man sich so gegenüber wie die beiden.«

»Faszinierend«, murmele ich und gucke zu den beiden Einsamen hinüber. Sie nagt an einer Gebäckstange. Er wischt immer noch über sein Telefon.

»Bei Schwulen geht das einfacher«, sagt Matze. »Da stellst du auf dem Handy ein, wie weit du jetzt noch Bock hast zu laufen, bevor du vögeln kannst, und dann zeigt dir die App echte Jungs in deiner Umgebung an.«

»Nein!« Vor lauter Staunen fällt mir das Essen von der Gabel. Ein Stückchen eingelegte getrocknete Tomate klatscht in den Olivenölsee. Das gibt Flecken, denke ich.

»Hier!«, sagt Matze. »Sechs Minuten zu Fuß.« Er hält mir sein Telefon hin. Darauf das Foto eines Waschbrettbauches. Mehr ist auf dem Bild nicht drauf. Also kein Gesicht oder so. Nur die *hard facts*, sozusagen.

Matze wischt ein wenig auf seinem Telefon rum. Wo er die App grad offen hat.

Plötzlich stutzt er und fängt an zu husten. Dann guckt er den Jungen an, der ihm gegenübersitzt. Der schaut zurück. War wohl doch kein Tinderdate neben uns.

Ich nehme Panna Cotta zum Nachtisch. Das ist Erotik, die ich verstehe. Diese neue Romantik ist mir einfach irgendwie zu krass.

Hannes ist verliebt

Hannes ist schon lange bei Tinder. Natürlich. Er hat immer jeden Dating-Quatsch mitgemacht, den das Internet hergab. Hannes hat bestimmt auch als Teenager dagesessen und die Wanted-Rubrik in der *Zitty* gelesen.

Frieda und ich verbrachten ganze Nachmittage in den neuen, aufregenden verräucherten Cafés in Mitte, die allesamt aussahen, als hätten sie die letzten sechzig Jahre zusammengefaltet und verstaut auf irgendeinem Dachboden verbracht und seien jetzt nach der Wende an genau demselben Ort wieder aufgebaut worden wie schon in den *Roaring Twenties*.

Wir saßen da und rauchten nicht, tranken heiße Schokolade und schielten verstohlen zu den stark geschminkten Frauen und langhaarigen Männern mit Reclamheften in den klebrigen Fingern, die zuweilen leise Rimbaud-Gedichte rezitierten, in einer Hand immer die Zigarette, auf dem Tisch ein halbvolles Glas Rotwein.

So wollen wir auch werden!, dachten wir und lasen Chiffre-Anzeigen wie diese: »U2 Gleisdreieck, Donnerstag, den 14., gegen 15 Uhr. Du, braune Haare, Kapuzenjacke, hast mich, blonde Haare, Kapuzenpullover, beim Aussteigen angerempelt. Wiedersehen?«

»Wo warst du letzten Donnerstag um 15 Uhr?«, rief Frieda aufgeregt.

»Mathe bei Frau Liesenberg«, sagte ich.

»Mist«, sagte Frieda, »ich auch.«

»Wo is'n nochma Gleisdreeck?«

»Westen irgendwo.«

Zehn Jahre später überredete Hannes mich, bei *Berliner Liebe* mitzumachen, einem Dating-Portal für einsame Hauptstädter, ein bisschen wie Facebook. Man konnte schreiben und Fotos hochladen und so.

Mein erstes Date werde ich nie vergessen, auch wenn ich es gerne würde. Fotos lügen! Das war schon immer so. Auch vor der Erfindung von Photoshop.

Lieber Gott, lass es nich den sein, dachte ich, als ich in dem Café ankam, bitte, bitte, lass es nicht den sein.

Mein zweiter Versuch gestaltete sich anfangs ganz nett. Der Junge war nicht hässlich und nicht dumm. Dann fingen wir an, über Politik zu reden.

»Du hast mit einem Nazi geknutscht!?«, fragte Hannes danach.

»Hab ich NICHT!«, verteidigte ich mich.

In Wahrheit war der Typ es, der nicht mit mir knutschen wollte. Ich meine – hallo! –, er war extra mit mir an einen See rausgefahren, voll romantisch mit Picknick und allem. Aber dann redeten wir miteinander, und plötzlich ging es um die Moschee, die vor kurzem in Pankow eröffnet hatte. Ich fand das gut. Er war dagegen auf die Straße gegangen. Ich war ehrlich erschüttert. Ich war schon immer so schrecklich naiv. Heimlich glaube ich immer noch daran, dass die Schönen auch die Guten sind. Auch wenn mich alle dafür auslachen.

Wir diskutierten eine Weile, dann waren wir beide erschöpft, und ich erinnerte mich daran, warum wir eigentlich hier waren. Ich hatte nichts mehr zu verlieren.

»Wollen wir knutschen?«, fragte ich ihn.

»Nein!«, sagte er mit Nachdruck.

Das war's mit mir und der *Berliner Liebe*. Ich meine, das ist doch total anstrengend! Die ganzen Knalltüten, die du in der Disko nicht mal mit dem Arsch angucken würdest, müssen im Internet ja erst begutachtet werden, eventuell sogar mit Schriftverkehr!

Meine nächsten Affären sammelte ich wieder ganz normal auf Partys auf, wie es sich gehört.

»Gehen wir noch zu dir?«, fragte mich ein hübscher Junge am Ende einer durchtanzten Nacht im Stadtbad Oderberger Straße.

Wir kannten uns gar nicht. Wir hatten den ganzen Abend kein Wort miteinander gewechselt, uns nur manchmal zugelächelt beim Umeinandertanzen. Es war der bis dahin beste Sex meines Lebens. Und mein einziger echter One-Night-Stand. Ich sah den Jungen nie wieder. Das ist nämlich der Punkt mit One-Night-Stands: Sie funktionieren nie. Wenn es gut war, will man es wieder. Und wenn es schlecht war, trotzdem. Könnte ja besser werden.

Ich hatte mal eine Affäre mit einem Amerikaner, das war ganz schlimm. Er trug ein Toupet, das merkte ich erst später. Er legte sich auf mich drauf wie auf eine Massagebank, bäuchlings, ganz grade, mit möglichst wenig Körperkontakt, als würde er sich ein bisschen ekeln. Ich durfte seine Haare nicht anfassen. Er leckte mich nie und war auch sonst nicht sonderlich an mir interessiert.

Gekommen bin ich nie. Dabei waren wir bestimmt drei Monate zusammen. Also zusammen wie in »hatten regelmäßig Verkehr«.

An unserem letzten Abend liefen wir nebeneinander von der *Alten Kantine* zu mir nach Hause. Ich war sehr müde. Wenn ich müde bin, laufe ich schlecht.

»You're walking a bit funny tonight«, sagte er. *»Think you had a drink too much.«*

Ich starrte ihn an. Nicht nur, dass er in dem Vierteljahr nicht bemerkt hatte, dass ich keinen Alkohol trank. Er hatte mich offensichtlich noch nie von der Hüfte abwärts angesehen.

»I have a handicap«, sagte ich, *»did you know?«*

»What?!«, rief er. Vollidiot!

Man gibt sich mit so wahnsinnig wenig zufrieden, wenn man sich selber für wertlos erachtet.

»Wie war dein Wochenende?«, frage ich Hannes. Wir sitzen beim Bier in einer Kneipe. Es ist Sonntagabend. Der *Tatort* ist vorbei. Touristen um uns rum. Hannes raucht.

»Sag ich dir nicht«, sagt er, »taucht ja doch nur wieder in einer deiner Geschichten auf.«

Ich nicke. Ich kenne diese Klage.

»Jedes einzelne Stückchen Leben von mir taucht irgendwann in der ihre Jeschichten auf«, sagt meine Mutter immer. »Kaum erzählt man ihr watt, liest man es nächstes Wochenende in der Zeitung.«

Hannes mag sein Singleleben. »Es gibt noch so viele Frauen auf der Welt, mit denen ich noch nicht geschlafen hab«, sagt er. Manchmal wirkt er ein wenig erschöpft.

»Du siehst einer Frau nicht an, wie sie im Bett ist«,

erklärt Hannes. »Es ist immer wieder eine Überraschung.«

»Kommst du dir nicht benutzt vor manchmal?«, frage ich.

»Nö, wieso?«, sagt er.

»Na ja«, sage ich, »ich erinnere mich an diverse hysterische Anrufe von dir an verschlafenen Sonntagmorgen.«

Ich halte mir ein imaginäres Handy ans Ohr und verstelle meine Stimme: »Ja, hallo, Mama, wegen unserer Verabredung. Ich wollte nur sagen, ich bin gleich da.«

So weit war es irgendwann gekommen, dass mein bester Freund mich Mama nannte. Bloß weil er irgendwelche Uschis aus seinem Bett schmeißen wollte. Und dann stand er bei uns vor der Tür um zehn Uhr morgens und roch wie ein mit Bier gespülter Aschenbecher.

»Ich hatte Schrippen dabei!«, ruft Hannes. Das stimmt. Immerhin.

»Willst du dich nicht mal wieder verlieben?«, frage ich.

»Tu ich doch«, sagt er, »jeden Tag aufs Neue.«

Wir wechseln das Thema. So hat das keinen Sinn.

»Machst du eigentlich eine Party? Zu deinem Geburtstag?«, fragt Hannes.

»Ja«, sage ich, »hatte ich vor. Kommst du?«

Das ist ja auch so eine Sache, die ich meinen Eltern ewig vorwerfen werde: IMMER sind ALLE verreist, wenn ich Geburtstag habe (am 24. Juli, da sind immer große Ferien, IMMER).

»Oh, oh, das wird uns das Kind ewig vorhalten«, hat meine Mutter zu meinem Vater gesagt, als der Arzt den Geburtstermin errechnet hatte. Recht hat sie.

Mein bester Freund zum Beispiel war in den bald zwanzig Jahren, die wir uns kennen, genau … Wie oft eigentlich?

»Warst du überhaupt schon mal bei einem Geburtstag von mir?«, frage ich Hannes. Er ist Sozialarbeiter und fährt in den Sommerferien immer mit seinen Jugendlichen weg. Als er selber noch jugendlich war, war er Betreuer im Kinderferienlager. Dort haben wir uns kennengelernt. Ich habe das einmal und nie wieder gemacht. Hannes hat es zu seinem Beruf gemacht.

Wir denken eine Weile nach. Ohne Ergebnis.

»Diesmal komm ich«, sagt er.

»Cool!«, sage ich.

Abstriche machen

Frauenarzt. Routineuntersuchung.

»Einmal TÜV, ja?«, sagt Frau Doktor Hirschfeld. Ich liebe diese Frau. Sie hat einen Humor, der jeden Tränenfluss trockenlegt. Vermutlich ist das normal bei alten Ärzten. Die haben so viel Mist gesehen und sind wahrscheinlich einfach nur froh, wenn alles gut ist. Ein Freund von mir hatte Krebs und muss jetzt regelmäßig zur Nachsorge. Sein Onkologe hätte Komiker werden sollen, sagt er.

Frau Doktor Hirschfeld hat Haare bis zum Arsch und trägt ihre rabenschwarze Mähne stets als beeindruckenden Knoten über den Kopf getürmt. Unter den Füßen hat sie meterhohe Pfennigabsätze. Außerdem ist sie mehrfache Großmutter und geht auf die siebzig zu, glaube ich. Aber sie hat wirklich Ahnung von ihrem Beruf. Sie macht ihn ja auch schon immer. Und wenn sie dann durch die Praxis stöckelt und »Schwester!« flötet, dann wippt der riesige Haarknoten auf ihrem Kopf wie ein Wackeldackel. Ich glaube, ohne Haare und Schuhe ist die Frau höchstens eins fünfzig groß.

»Neulich hatte ick mir die Haare gewaschen«, erzählt Frau Hirschfeld, während sie mir zwischen den Beinen rumfuhrwerkt, »und denn ereilte mich der Ruf der Natur. Ziemlich dringend. Ick also ruff uffs Klo. Zack! Fällt dit Handtuch runter. Konnt ick die Haare gleich nochma waschen … Nich lachen!«, mahnt Frau Doktor Hirschfeld. »Schön seriös bleiben. Sonst krampft dit hier allet zu und ick seh überhaupt nischt mehr.«

Nach der Untersuchung krieg ich gleich noch mal Ultraschall. Und weil sie heute unterbesetzt sind, ruft Frau Doktor Hirschfeld den Befund der Empfangsschwester zu, einmal quer durch die Praxis, damit auch alle Patientinnen wissen, was Sache ist.

Zum Schluss schüttelt sie mir mütterlich die Hand und sagt: »Sie wohnen ja gleich nebenan, Frau Streisand. Wenn bei dem Abstrich was Doofes rauskommt, dann ruf ick's Ihnen einfach aus'm Fenster zu, wenn ick Sie dit nächste Mal auf der Straße sehe.«

Ich bin nur froh, dass ich die Witze der Pathologen nicht höre, die mich mal auseinandersägen.

Bonuswochen

Ich habe ja in meinem Leben schon viele Idiotenjobs gemacht. Ich stand in Nachtclubs hinter der Bar, hab auf Mittelaltermärkten Schmuck verkauft, und ich hab für eine Bildagentur Fotos in Text umgewandelt. Verschlagwortet hieß das. Angela Merkel, Kanzlerin, Bundeskanzlerin, MdB, CDU-Vorsitzende. Ich dachte, ich würde an Hirntod sterben.

Die längste Zeit, in der ich während des Studiums Geld dazuverdient habe, saß ich in einem Callcenter, zuletzt für eine Kundenbefragung der AOK Brandenburg. Das war super. Wir sollten alle Versicherten der Krankenkasse in ganz Brandenburg anrufen und ihnen erzählen, dass die AOK gerade Bonuswochen habe und sie doch mal bei ihrem Sachbearbeiter vorsprechen sollten, um irgendwelche Punkte abzugreifen. Wenn sie sich gesund ernährten zum Beispiel. Oder Sport trieben. Regelmäßig zu Vorsorgeuntersuchungen gingen. Aber nie krank waren.

Freizeichen. Es klingelt. Eine Frau meldet sich.

»Müller?« Es sind immer die Frauen, die ans Telefon gehen, immer. Deswegen fragt die Forsa bei Umfragen auch immer nach dem, der zuletzt Geburtstag hatte. Mein Fall ist anders. Ich weiß, wen ich sprechen will. Das steht in dem Formular auf dem Computerbildschirm vor mir.

»Frau Müller, guten Tag, hier ist Lea Streisand von der AOK Brandenburg. Ich würde gerne mit Helmut Müller sprechen! Is der da?« Ich kann das gut. Ich weiß, dass ich das gut kann. Ich kann nicht schnell laufen und nicht gut schwimmen, ich habe keinen Orientierungssinn und bin eine Niete in Mathe. Aber reden, das kann ich.

Frau Müller schnauft. »Uff«, sagt sie, »meen Mann. Weeß ick ja nich, ob der da is, grade. Muss ick ma kieken. Wattn Se mal.«

Sie geht vom Hörer weg. »Helmut!!! (Pause.) Hier is ein Frollein an Telefon. (Pause.) Ja, vonne AOK.«

»Frau Müller!«, versuche ich mich bemerkbar zu machen.

Frau Müller hört mich nicht. »Weeßick nisch!«, höre ich sie in die Ferne rufen.

»Frau Müller!«, rufe ich. »Sagen Sie ihm, dass er Geld zurückkriegt!«

»Ja, is jut!«, ruft Frau Müller. Meint sie mich?

»Hallo, Sie?«, sagt Frau Müller.

»Ja?«, frage ich, voller Hoffnung.

»Sie, Frollein, der kann grad nich, der ist grad bei die Hühner. Worum jeht det denn?«

Ich bin erleichtert. »Gut, dass Sie fragen, Frau Müller. Es geht um die Bonuswochen der AOK Brandenburg.«

Frau Müller unterbricht mich. »Watt für 'ne Wohnung?«, sagt sie.

»Nich Wohnung«, sage ich, »Bonuswochen!«

»Nee, nee, Fräulein«, sagt Frau Müller, »wir brauchen keene Wohnung. Wir ham doch schon 'n Haus.«

Ich bleibe hartnäckig. »Nein, Frau Müller. Die Bonuswochen. Vonna Versicherung.«

»Wir sinn ooch schon versichert«, sagt Frau Müller.

»Ja, eben«, rufe ich, »bei der AOK. Sind Sie denn auch bei der AOK, Frau Müller? Frau Müller? Hallo?«

Frau Müller hat aufgelegt.

Von heute aus betrachtet tut es mir manchmal fast ein bisschen leid, dass ich nicht mehr im Callcenter arbeite. Aber wirklich nur fast.

Kathi und der Neue

Kathi hat den Nahostkonflikt auf Eis gelegt. »Das bringt so nichts«, sagt sie. Stattdessen beginnt sie jetzt eine Affäre mit einem Arbeitskollegen. Wozu so ein Scheißjob alles gut ist.

Kathi ist freie Redakteurin bei einer Tageszeitung, überbeschäftigt und unterbezahlt, wenig Anerkennung, viel Stress. Das Übliche.

Die Affäre ist verheiratet, Ende vierzig und sieht wahnsinnig gut aus, sagt Kathi. Auf dem Sommerfest der Redaktion ist es passiert. Sie saßen wie zufällig nebeneinander am Tisch und unterhielten sich mit anderen Leuten, während sich ihre Knie unterm Tisch erst aus Versehen berührten und dann mit Absicht.

»Das war so sexy!«, sagt Kathi. Ich erkenne sie kaum wieder. Sie strahlt, wie man nur frisch geküsst strahlen kann.

»Und dann?«, frage ich.

»Dann beugte er sich zu mir rüber und murmelte: ›Ich bin verheiratet‹, und ich sagte: ›Macht doch nix.‹«

Ich rutsche aufgeregt auf meiner Bierbank herum.

Wir sitzen vor einer Kneipe in der Hufelandstraße. Ich habe Kathi nach der Arbeit zu Hause abgeholt. Wir sind spazieren gegangen. Eigentlich wollten wir uns einen Späti suchen, aber so was Profanes gibt es im Bötzowviertel nicht mehr. Hier gibt es nur Weinläden, Blumenläden, Eisläden, Bioläden und Restaurants, Restaurants, Restaurants. Wenn ein Bewohner der Hufelandstraße sich besaufen will, dann tut er das für 17,50 Euro den halben Liter beim Italiener oder mit Eichenfassgereiftem in der Whiskeybar. Wenn er sich nicht gleich in den Swimmingpool auf der Dachterrasse wirft und ein paar Nutten kommen lässt. Entschuldigung, Sexarbeiterinnen.

Ich entwickle immer einen dermaßenen Hass auf die Menschheit, jedes Mal, wenn ich durch die Hufelandstraße laufe. Da war das Reisebüro, denke ich, da der Marionettenbauer, dort das Antiquariat, wo man sich nie getraut hat, ein Buch zu kaufen, weil der Antiquar jedes seiner Bücher anschaute, als würde man ihm ein Stück Fleisch aus dem Leib reißen, wenn man es mitnahm.

Manchmal sehe ich mich selber als alte Frau, wie ich meinen Enkeln von der Hufelandstraße erzähle, während mir Tränen der Wehmut aus den ins Blaue gerichteten Äuglein kullern. Oma erzählt vom Krieg.

Eine Sportkneipe haben wir gefunden, auf der rechten Seite kurz hinter der Bötzowstraße, draußen Bierbänke, drinnen Flachbildschirme, davor rauchende alte Männer mit verbrannten Gesichtern, eine dicke Frau starrt leer über ihr halbvolles Bierglas hinweg.

Vor dem griechischen Restaurant direkt daneben sitzen die Männer mit Fuß auf dem Knie, breitbeinig, die Arme ausgebreitet auf den Stuhllehnen rechts und links, Strohhüte auf Köpfen mit lichter werdendem Haar. Die Frauen wedeln mit den Armen beim Sprechen und wer-

fen die Haare. Sie alle wären gerne zwanzig Jahre jünger.
Wir wussten gleich, wo wir hingehören.

»Na, watt wollta«, sagt der Kneipier.

»Tach«, sage ich, »'n Radler hätt ick gerne.«

Ich muss aufpassen, dass ich vor lauter Lokalpatrio-
tismus nicht so sehr berlinere, dass es albern klingt. Vor
zwanzig Jahren hätte ich den Kneipier nicht mit dem
Arsch angeguckt. Hoffentlich ist er kein Nazi.

»Ham Sie 'ne Mate?«, fragt Kathi.

»Diss so'n Tee, wa?«, sagt der Kneipier.

»Jenau«, sagt Kathi, »steht da im Kühlschrank.« Sie
kann wirklich gut berlinern.

»Ach kieke«, sagt der Kneipier und holt die Flasche
aus dem Kühlschrank. »Setzt euch ma hin, ick bring euch
ditt raus.« Seine Worte streicheln mein wundes Heim-
wehchen.

»Und dann?«, nehme ich das Gespräch mit Kathi wieder auf.

»Dann sind wir nach Hause gefahren«, sagt sie.

»Jeder zu sich oder beide zu dir?«

»Jeder zu sich.«

»Schade.«

»Aber ein Stück sind wir zusammen geradelt«, erzählt
Kathi. »Schweigend nebeneinander. Kennst du dieses
Schweigen, das total sexy und total unsicher ist, und du
weißt, dass er dich will, aber du weißt nicht, was jetzt
passieren wird?«

Ich nicke. Und denke. Dann steht man da. An der Stra-
ßenkreuzung. Mit den Fahrrädern zwischen den Beinen.
Umarmt sich zum Abschied und will nicht loslassen.
Atmet den Geruch des anderen ein. Merkt, wie der Atem

des anderen schneller geht. Tiefer geht. Wie der eigene. Drückt sein Gesicht in die Kuhle am Hals. Löst sich voneinander. Ein wenig nur, damit die Münder sich finden können.

»Der kann küssen!«, sagt Kathi.

»Wann seht ihr euch wieder?«, frage ich.

»Schau mer mol«, sagt Kathi und redet plötzlich bayrisch.

Später schlendern wir nach Hause. Auf einer Plakatwand in der Marienburger klebt Werbung für ein Sexspielzeug. Es ist pink und sieht ein bisschen aus wie ein Kopfhörer.

»Was macht man damit?«, frage ich.

»Reinstecken, wahrscheinlich«, sagt Kathi.

»Ja, aber wo?«, überlege ich.

»Vorne und hinten?«, schlägt Kathi vor.

»Aua!«, sage ich. Mir tut schon die Vorstellung weh.

»Ich hab einen Klammeraffen, der so aussieht«, sagt Kathi.

»Den schiebst du dir aber bitte nirgendwo rein!«, sage ich.

»Keine Sorge!«, sagt sie.

Wir laufen weiter. Ich überlege.

»Machst du das?«, frage ich. »Dir Sachen reinstecken?«

»Nee«, sagt sie. »Der Dildo ist eine völlig überschätzte Einrichtung.«

»Och«, sage ich. »Ich mag meinen Vibrator.«

»Vibratoren sind ja auch prima«, sagt Kathi. »Ich hab so einen kleinen handlichen, der passt sogar in meine Diskohandtasche.«

»Du nimmst deinen Vibrator mit in die Disko?!«

»Nein«, sagt Kathi, »aber gut zu wissen, dass ich es könnte.«

Da sind wir uns einig. Und unser Fazit des Abends lautet: Ein Schwanz mit Mann dran fetzt einfach mehr als ohne.

Night on Earth

Der Taxifahrer ist bekanntlich ein natürlicher Fressfeind der Fahrradfahrerin. Niemand bewegt sich so unverschämt durch die Straßen der Großstadt wie die gelben Autos mit den Blinkeschildchen.

Rote Ampeln? Halteverbot? Fahrradwege? Für den Taxifahrer nur Rauschen im Schilderwald. Er ist die Krone der verkehrstechnischen Schöpfung. Seine Hupe hat recht und er immer Vorfahrt.

Als ich noch klein war und die Mauer noch stand, da waren Taxen die bedrohte Tierart in der Taiga namens Ostberliner Straßenverkehr. Wer Taxi fahren wollte, musste telefonieren. Nicht jeder hatte Telefon. Die Telefone hatten Wählscheiben. Und wenn besetzt war, musste man neu wählen. Und besetzt war immer. Das gab Zeigefingerhornhaut.

Bei jeder Familienfeier musste spätestens zum Abendbrot ein Familienmitglied am Telefon sitzen und sich die Finger wund kurbeln. Und trotzdem nahmen wir am Ende oft ein Schwarztaxi. Ich habe Jahre gebraucht, um zu kapieren, dass die nicht deshalb Schwarztaxen hießen, weil sie nicht gelb waren.

Neulich fahren Kathi und ich nachts aus Kreuzberg

mit dem Taxi nach Hause. »Erst mal nach Prenzlauer Berg«, sagen wir, als wir einsteigen.

Der Taxifahrer ist sehr jung und sieht auf seinem Fahrersitz irgendwie verloren aus.

»Prenzlauer Berg«, murmelt er und fängt an, hektisch auf seinem Navigationsgerät rumzutippen. Dann guckt er hoch und fragt: »Welche Nummer?«

Wir sind sprachlos.

»Ähm«, sage ich.

»10405«, sagt Kathi verwirrt. Das ist die Postleitzahl.

Wir haben nicht wirklich den einzigen Taxifahrer Berlins getroffen, der den Stadtteil Prenzlauer Berg nicht kennt?!, denke ich.

Ich weiß schon, es gibt eine Straße dieses Namens. Eine ganz kleine. Sie verbindet die Greifswalder Straße mit der Prenzlauer Allee, ist sehr steil und grenzt an einen Friedhof. Ein Bekannter meiner Eltern aus dem Westen hat den Fehler schon in den Neunzigern gemacht. Was man denn in Berlin unbedingt sehen müsse, wollte er wissen.

»Fahr nach Prenzlauer Berg«, sagte man ihm. »Da geht die Post ab.«

Und dann stand er da. In der Straße Prenzlauer Berg, lief den Berg rauf und wieder runter, betrachtete die Neubauten zu seiner Linken und den Friedhof zu seiner Rechten und dachte: Die spinnen, die Berliner!

Ich spinne nicht. Ich bin betrunken. Und ich will nach Hause.

Ich hätte doch Peter anrufen sollen!

Peter ist mein Lieblingstaxifahrer. Er hat einen Bus, da kann sogar mein Fahrrad aufrecht drin stehen. Vor drei Jahren haben Peter und ich uns kennengelernt.

»Hallo, 'sch brauch ein Taxi für misch un' mein Fahrrad«, lallte ich in einer kalten Donnerstagnacht in mein Wischtelefon.

»'n großes Taxi!«, ergänzte ich und zog den Rotz hoch. »Is 'n großes Fahrrad.«

»Fünf Minuten«, sagte das Fräulein vom Amt. Und dann kam Peter.

Normalerweise schimpfen die Taxifahrer immer und legen mein Fahrrad auf ihre Ladefläche. Danach ist immer eine Beule im Schutzblech. Oder die Kette schleift. Oder der Lenker ist verbogen.

Peter kam, sah und sagte: »Setz disch ma vorne rinn, Mädschen, ick mach ditt schon!«

Dann öffnete er die Seitentür seines Kleinbusses und schob mein Fahrrad aufrecht hinein. Ich war sofort verliebt. In Peter. In sein Taxi. Und als Peter sich neben mich setzte, den Motor anließ, das Handschuhfach zwischen uns öffnete und fragte: »Willste watt trinken? Ick habe Schnaps, Wasser, Apfelschorle. Oder'n Schokoriegel? Kost' nüscht extra«, da wusste ich: Ich will nie wieder einen anderen Taxifahrer anrufen.

Dem Jungen in Kreuzberg sage ich einfach: »Fahr'n Se mal los! Wir kennen den Weg!«

»Wir zeigen Ihnen die große, weite Welt!«, ergänzt Kathi. »Und mit Prenzlauer Berg fangen wir an.«

Mein schönster Geburtstag

Ich liebe Geburtstage. Am allermeisten liebe ich meinen Geburtstag. Meinen Geburtstag liebe ich fast noch mehr, als ich Weihnachten liebe, denn Weihnachten haben irgendwie alle Geburtstag und es gibt Kuchen und Geschenke für jeden. Ich mag Geschenke.

Es gibt nichts Verlogeneres als den Satz »Wir schenken uns nichts«. Weihnachten und nichts schenken? Das ist wie an die Ostsee fahren und nicht baden gehen, wie essen ohne schlucken, wie vögeln ohne knutschen.

Mir ist beinahe egal, was ich geschenkt kriege. Wichtig ist die Geste, dieses »Guck, ich hab an dich gedacht und es für dich eingewickelt«.

Mein Freund hat jedes Jahr panische Angst vor meinem Geburtstag.

»Dieser Druck!«, ruft er. »Diese Verantwortung!«

Ein Jahr hat er es tatsächlich geschafft, mir nichts zu schenken. Das war schlimm.

»Ja, glaubst du denn, ich merke das nicht?«, hab ich gebrüllt. »Glaubst du, das wird besser, wenn du einfach nichts machst? Glaubst du, ich vergesse das? Denkst du wirklich, die beruhigt sich schon wieder?!«

Er war einfach so überfordert von der Aufgabe, seine

Gefühle für mich in ein Ding zu projizieren. Tagelang ist er durch die Gegend getigert, nächtelang hat er kein Auge zugetan.

Mein Exfreund hatte mir in einer unserer On-off-Phasen mal einen Golfball geschenkt! Einen Golfball! Wenn ich mir aus irgendeiner Sportart noch weniger mache als aus allen anderen, dann ist es Golf.

Ich starrte das Ding an. »Was ist das?«

»Ein Golfball«, sagte Tim.

Ich nickte. »Das sehe ich. Und wo ist mein Geschenk?«

Paul ist mit den Jahren schon besser im Schenken geworden, aber vor Überraschungen hat er immer noch Angst.

»Hast du Blumen für mich gekauft?«, quietschte ich vor Vergnügen, als er am 23. Juli abends nach Hause kam. Ich hatte ihn ewig im Treppenhaus wurschteln hören, weil er das Papier nicht von dem Strauß abgepopelt bekam. (Anstatt das Papier einfach dranzulassen, bis er in seinem Zimmer war!)

Paul sah mich an. Ich konnte die Gedanken flitzen sehen hinter seiner Stirn. Wie Praktikanten, wenn die Chefin kommt. Eine Sorgenfalte wuchs über seiner hübschen Nasenwurzel, er sah verschwitzt und erschöpft aus.

Ich mute ihm zu viel zu, dachte ich, aber es ist doch mein Geburtstag!

Paul sah mich an, sagte »Ja« und reichte mir die Blumen.

»Ach Schätzchen!«, sagte ich.

Danach waren wir im Kino.

Mein Geburtstag dauert jedes Jahr drei Tage: einen

Tag reinfeiern, einen Tag durchfeiern, einen Tag raus-
feiern.

Als Kind schaffte ich es aufgrund komplizierter Fami-
lienverhältnisse in manchen Jahren auf bis zu fünf Geburtstage. Es waren ja, wie gesagt, immer Sommerferien,
wenn ich Geburtstag hatte.

Ich hatte mir das gut überlegt: Wenn ich an meinem
Geburtstag im Ferienlager bin, dann bekomme ich von
allen Kindern Geschenke und alle müssen den ganzen
Tag machen, was ich sage. Das wird super. Mama und
Papa werden anrufen und mir gratulieren und ganz traurig sein, weil sie nicht bei mir sein können an meinem
Geburtstag, und ich werde sie trösten und sagen: »Wir
werden meinen Geburtstag nachfeiern mit allen Omas
und Opas und Tanten und Onkels.« Und wenn ich nach
Hause komme aus dem Kinderferienlager, werden meine Schulfreunde mir Glückwunschkarten geschrieben
haben, in denen sie sagen, wie traurig sie sind, dass sie
an meinem Geburtstag im Urlaub sind, und am ersten
Schultag werde ich sie trösten: »Es wird einen Kinder-
geburtstag geben für alle meine Freunde (außer Man-
dy, denn die ist nicht mehr meine Freundin), und dort
werden wir Topfschlagen spielen, bis Konrad wieder den
Löffel zerkloppt, und meine Cousins werden wieder beim
Verwandtschaftsgrade-Raten verlieren.« (»Der Bruder
deiner Mutter ist deine …?« – »Tante?« – »Falsch!«). So
dachte ich mir das.

Es kam noch viel besser. Meine Eltern kamen mich besuchen! An meinem Geburtstag! Im Kinderferienlager in
Röbel an der Müritz!

Ein Freund meiner Eltern besaß ein Haus in Radensee, einem Ort in der Nähe von Röbel an der Müritz, da durften wir im Sommer Urlaub machen. Und weil sie ihr einziges Kind so liebten, setzten meine Eltern sich auf das Tandem, das sie zur Hochzeit geschenkt bekommen hatten, und radelten die vierzig Kilometer zum Ferienlager. Zu mir. Dort kamen sie zum Nachmittagskaffeetrinken an und blieben bis zum nächsten Morgen, weil sie sich abends noch mit den Erziehern betranken, nachdem wir Kinder ins Bett geschickt worden waren. Es ist doch immer dasselbe.

Mein Papa schickte mir nachher noch einen Brief mit drei Gedichten, die er selbst geschrieben hatte. Für mich!

Vom armen Kind im Ferienlager

Die anderen stör'n dich, ich weiß es genau:
Als Kind ist es nur ganz alleine schau!
Du könntest jetzt schön im Zimmer hocken,
Auch wenn es draußen warm ist und trocken.
Und wenn die andern baden gehen,
Versäumen Sie was Tolles im Fernsehn.
Denn das Schlimmste ist am Ferienlager
Doch der Verzicht auf Serien, Schlager,
Auf Fernsehn und auf Plattenspieler,
Vertrauter Dinge noch so vieler!
Nur Langeweile hat hier Platz.
Fürs Zuhaus gibt's kein' Ersatz!

Die Kinder sind dir viel zu laut.
Die Ruhe wird dir stets versaut.
Dich stört es, wie dein Nachbar kaut.

Auch bist du wenig jetzt erbaut,
Dass jemand dir den Pfeffer klaut
Und wie ein Unschuldsengel schaut.
Der Ärger wird auch nicht verdaut,
Weil der Erzieher nicht gern haut –
Dabei ist dir das so vertraut!!!

Ich will dir auch noch die Rückfahrt aus Röbel beschreiben:

Wir hatten uns für diese Fahrt
Die letzten Kräfte aufgespart.
Wir hatten beide wenig Lust
Und hätten wir nicht los gemusst,
Wären wir noch da geblieben
Und hätten uns die Zeit vertrieben
Mit baden, spielen oder lesen.
Auch wär' es sicher schön gewesen,
Mit dir noch so dumm rumzuquatschen,
Oder einfach durch den Wald zu latschen,
Oder den Geburtstag feiern,
Statt mit dem Tandem loszueiern.

Wir haben schnell noch was gegessen,
Dann auf dem Tandem aufgesessen
Und rasten aus der Stadt hinaus –
Erst dreimal rechts, dann geradeaus.

Am Anfang war es fast noch kühl.
Doch später wurde es so schwül,
Dass wir uns beide so erhitzten

Und solche Mengen Wasser schwitzten,
Dass, wo wir fuhren, ohne Spaß,
War hinterher die Straße nass!
Ich hab fünf Kilo abgenommen,
Die sind im Schweiß davongeschwommen!
So fuhren wir in unserem Schweiße.
Fahrradfahrn ist manchmal scheiße!

Wir haben geweint und auch geflucht,
Vergeblich ein Lokal gesucht.
Wir wollten nur 'ne Brause trinken
Und, damit wir nicht so stinken,
Ein bisschen Wasser und auch Seifen.
Wir werden niemals wohl begreifen:
Es hatte keine Kneipe offen.
Vergeblich war da alles Hoffen.

Wir wollten schon den Geist aufgeben.
Auch ich wollte nicht mehr weiterleben.
Wir hatten grad 'nen Berg erklommen,
Da ist mitmal ein See gekommen,
Mit Wasser drin und Wellen drauf.
Wie atmeten wir beide auf!
Man musste nicht mal Wasser saufen,
Man konnte sich nicht Cola kaufen!
Danach ging alles sehr viel besser.
Wir wurden Kilometerfresser!

Doch von dem letzten Kilometer
Erzähl ich später.

Jetzt noch ein ganz kurzes zum Schluss:

Abend

Beim Radfahrn war heut so 'ne Hitze,
Dass ich davon noch immer schwitze.
Und wie ich jetzt im Sessel sitze,
Da seh ich durch Gardinenschlitze
Dunkle Wolken und auch Blitze.
Und wie ich mir 'ne Pfeife schnitze,
Mir dabei in den Finger ritze,
Den Sessel voller Blut ich spritze
Und schnell nach einem Pflaster flitze,
Macht Mutter auch noch blöde Witze!

Bis bald! Papa

Die Geburtstagsfeiern Nummer vier und fünf rührten übrigens daher, dass ich neben meinem Papa auch noch einen Vater besitze und dieser zumindest damals noch über eine Mutter und eine Großmutter verfügte, und Letztere war sogar eine Westuroma! Aber das ist wieder eine andere Geschichte.

Dieses Jahr gehen wir ins Freiluftkino, Paul und ich. Ich mag Freiluftkino. Es gibt nichts Sommerlicheres als nachts in Berlin im Park zu sitzen, Bier zu trinken und sich von Mücken zerstechen zu lassen, während man einen schlechten Film guckt.

»Schön«, sage ich. »Fast wie Ferienlager.« Wir knutschen ein bisschen. Das gehört dazu. Wie Sternschnuppen.

Im Ferienlager bekam ich mit fünfzehn auch meinen

ersten Knutschfleck. Wir waren mit dem Schülerfreizeitzentrum Mitte – kurz SFZ – in ein tschechisches Bergdorf gefahren, um Kunst zu machen, Theater zu spielen und Videos zu drehen. Was man eben als Bildungsbürgerkind nach der Wende in den Ferien so machte, nachdem die Kinderferienlager in Röbel an der Müritz alle abgewickelt worden waren. Natürlich machten wir keine Kunst, sondern pubertierten und bastelten uns Halsketten aus Knutschflecken.

Ein westfälischer Alt-Hippie hatte in dem Bergdorf in Tschechien ein altes Herrenhaus zum Seminarhaus umgebaut. Also er hatte eine Garage angebaut, in der wir Kinder schlafen sollten. Der Sommer war kalt und verregnet, die Abende lang und dunkel. Es gab keine Disko und keinen See, keine Kneipen oder Einkaufsmöglichkeiten. Kurz: Es gab nichts von alledem, wonach es fünfzehnjährige Teenager gelüstet. Wir mussten uns selber amüsieren. Und das taten wir. Wir waren zwölf Mädchen und zwei Jungen. Wir tanzten abwechselnd zum *Traumzauberbaum* von Reinhard Lakomy oder zu *Blood Sugar Sex Magik* von den Red Hot Chili Peppers durch die Küche, wir tauschten so lange die Klamotten, bis keiner mehr wusste, wem welches Kleid gehörte, und wir saßen jeden Abend in unserem »Mädchenschlafsaal«, der Garage aus Wellblechplatten, in die es von oben reinregnete und von unten durchschimmelte, und spielten Flaschendrehen. Jeden verdammten Abend.

Zwölf Mädchen, zwei Jungs, alle bildschön, blutjung und gar nicht mehr so unschuldig. Nach der zweiten Flasche Wein beschlossen wir, den Fragen-Teil einfach wegzulassen. Bis dahin war sowieso geklärt, wer auf wen stand und wer in wen verknallt war. Das Ergebnis war simpel: jeder in jeden. Hauptsache mit Zunge!

Und dann wurde geknutscht. Wahllos. Hemmungslos. Ohne Sinn und Verstand. Nachts hörte man es rascheln, quietschen und kichern. Morgens hatten dann oftmals nicht nur die Klamotten die Besitzer gewechselt. Manchmal wachte man drei Betten weiter auf als in dem, in das man sich abends schlafen gelegt hatte. Und all unsere zarten Hälse zierten zum Teil faustgroße Hämatome.

1991 bin ich das erste Mal mit dem SFZ in Urlaub gefahren, da war ich zwölf und wirklich noch unschuldig, unschuldig verliebt in zwei Jungs gleichzeitig, sie hießen Fabian und Florian. Ich konnte mich überhaupt nicht zwischen den beiden entscheiden. Wir knutschten nicht, wir knüpften Freundschaftsbänder. Jedes Gelenk an unseren Körpern wurde mit bunten Bändern umflochten. Handgelenke, Fußgelenke, Fingerknöchel, Hälse, Zehen. Wir fuhren nach Hause wie bunte Mumien.

Damals hörten wir nicht Chili Peppers, sondern Die Prinzen – mehr oder weniger freiwillig. Wir waren in einem ehemaligen FDGB-Ferienbungalow-Dorf untergebracht, in dem aber noch dasselbe Personal arbeitete wie vor der Wende. Es herrschten im Großen und Ganzen auch noch dieselben Sitten. Frühstück von 7 Uhr bis 9 Uhr. Mittag von 11:30 Uhr bis 13:30 Uhr. Kaffee um 15 Uhr. Zu trinken gab es Pfeffi- oder Hagebuttentee, beides geradezu widerwärtig überzuckert.

Jede Gruppe hatte ihre Mahlzeiten in der ihr zugeteilten halben Stunde einzunehmen, um Verzögerungen im Betriebsablauf zu verhindern. Die DDR lag zumindest in der Provinz noch in ihren letzten Zuckungen. Die

Essensfrauen sind bald ausgerastet, als wir verkündeten, wir würden unser Frühstück und Abendbrot jeweils eine Stunde später und draußen auf der Wiese einnehmen.

»Sowatt hätte ditt früher nich jejehm!«, schimpften sie leise, aber laut genug, dass wir es hören mussten.

Die Prinzen waren der Nummer-eins-Hit im sogenannten »Lagerradio«, das hieß wirklich so. In jedem Bungalow war oben in der Zimmerdecke ein apfelmusglasdeckelgroßes Loch, durch das jeden Morgen, Schlag sieben Uhr, eine männliche Stimme, die klang wie ein Pionierleiter auf Speed, juchzend vor gespielter Begeisterung flötete: »Guten Morgen! Alles aufstehn! Hier ist *Radio Sonnenschein*!«

Und dann liefen Die Prinzen. Jeden Morgen von sieben bis neun Uhr. Immer dieselbe Platte. Der DJ hatte nur die eine.

Uli's Kinderland hieß dieses Bungalowdorf, mit Apostroph, jetzt weiß ich es wieder. Wahrscheinlich war das Uli persönlich am Mikrophon, und über die Löcher in den Zimmerdecken hatte er früher Schlag sieben Uhr zum Fahnenappell gerufen. Wir verstopften die Löcher mit Bettlaken und Decken und schliefen weiter bis halb neun.

Havarie hatten wir auch in *Uli's Kinderland*. Das war lustig! Mitten in der Nacht stand plötzlich der Mädchenbungalow unter Wasser. Alle Doppelstockbetten bekamen nasse Füße. Und weil die Elektroleitungen am Fußboden verlegt waren, mussten wir evakuiert werden! In den Jungsbungalow! Der arme Florian fing furchtbar an zu schwitzen, als ich auf sein Bett kletterte. Ans Fußende. Und nur so lange, bis die Handwerker durch waren.

Am nächsten Morgen schrieb ich eine Postkarte an meine Eltern:

Liebe Mama, lieber Papa,

letzte Nacht wären wir fast gestorben. Das Wetter ist gut.

Viele Grüße! Eure Lea

Ich fand das sehr lustig. Fritzi, eine unserer Betreuerinnen und eine gute Freundin meiner Mutter, der ich die Karte vorlas, überredete mich dann aber doch, den Text zu ändern. Konkret sagte sie: »Und ditt schreibst du nich!«

Am Schluss hatten wir sogar noch eine Geburtstagsparty in *Uli's Kinderland* mit Apostroph. Sarah wurde zwölf. Sarah war einen Monat jünger, aber einen Kopf größer als ich und doppelt so stark. Ich bewunderte sie sehr.

»Ich will eine Torte!«, sagte Sarah.

Die Essensfrauen besorgten für jedes Geburtstagskind eine Torte, so ein fettes Teil, das nur aus Zucker und Margarine bestand. Drei Geburtstagskinder hatten sich schon übergeben müssen wegen dieser Geburtstagstorten. Alle wussten das.

»Ich will sie nicht essen«, verkündete Sarah, »ich will sie werfen!«

Und das tat Sarah. Sie warf die Torte auf Fabian. Zumindest war das Sarahs Plan gewesen. Aber weil die Torte so schwer war, flog sie nur halb so weit, wie sie sollte, verfehlte ihr Ziel und traf Florians Knie. Der schaute sich das Unglück an, griff beherzt zu und führte Sarahs Werk zu Ende, nur in die entgegengesetzte Richtung.

Am Ende bekamen alle etwas ab. Ich musste mir nachher dreimal die Haare waschen, um alle Tortenreste herauszubekommen, und es könnte durchaus sein, dass ich an Sarahs zwölftem Geburtstag im Ferienlager fast so viel Spaß hatte, als wenn es mein eigener Geburtstag gewesen wäre.

Mein schönster Geburtstag – Zweiter Versuch

Die Sonne scheint, als ich aufwache.

»Paul, wach auf, die Sonne scheint, ich hab Geburtstag«, sage ich leise.

Er lächelt im Schlaf. Dann greift er nach mir.

Mein Geschenk hat er mir schon letzte Nacht gegeben. Er hätte sonst die ganze Nacht nicht geschlafen vor Aufregung. Es ist eine Handtasche. Eine ganz kleine orangene aus Leder.

»Weil doch deine Fahrradtasche kaputt ist«, hat er gesagt.

Das stimmt. Ich binde mir zum Fahrradfahren immer so einen Beutel um die Hüfte mit Telefon und Schlüssel drin. Leider ist die Ledertasche dafür gar nicht geeignet.

Ich sagte es ihm. Paul ließ unglücklich die Schultern hängen. Er sah aus wie ein geschlagenes Kind.

»Aber die Tasche ist cool«, sagte ich. Das stimmt. Ich würde mir so was niemals kaufen, aber irgendwie ist sie cool.

Paul seufzte, halb erleichtert, halb resigniert. Er hatte es überstanden.

Abends kommen Freunde zu Besuch. Ab mittags stehe ich in der Küche und koche. Dreimal ruft meine Mutter an. Einmal, um zu gratulieren; einmal, um zu erzählen, wie toll ihr Kartoffelsalat geworden ist, und dann noch mal, um zu fragen, ob sie die Kaffeekanne mitbringen soll, die zum Runterdrücken.

»Mama, die Gäste kommen ab 18 Uhr.«

»Aber wenn jemand Kaffee trinken will!«, wendet sie ein.

»Wir haben Kaffee«, sage ich.

»Aber eurer ist ja so stark.«

»Mami, möchtest du selber gerne Drückekaffee trinken?«

»Vielleicht«, sagt sie.

»Dann solltest du unbedingt die Kanne mitbringen. Wir haben nämlich keine.«

»Siehste!«, sagt meine Mutter zufrieden. »Wusst ich's doch!«

Wir haben die Feier auf 18 Uhr angesetzt, damit die Freunde ihre Babys mitbringen können, aber das war Quatsch. Die einzige Mutter mit Baby kommt schon um fünf, weil die Kleine ab sechs ningelig wird. Alle anderen lassen ihre Kinder zu Hause.

Ich bin wahnsinnig gestresst und kann mich überhaupt nicht konzentrieren. Ich muss mich noch schminken, meine Beine sind nicht rasiert. Ich hätte Mittagsschlaf machen sollen. Das Kind kann schon stehen und zieht Bücher aus dem Regal.

»Nicht die Erstausgabe!«, rufe ich.

Um sechs klingelt Frieda. Sie hat heute Spätschicht. Sie sieht müde aus. Ich mache ihr einen Kaffee.

»Einen starken, bitte!«, ruft sie.

Meine Mutter presst die Lippen zusammen.

Frieda arbeitet als Kinderärztin auf einer Neugeborenenstation in Lichtenberg. Die Kinder heißen alle Justin und Anastasia.

»Gestern hatten wir wieder eine Tüte Mehl auf Station«, sagt Frieda. Mehltüten sind Frühgeborene, die unter tausend Gramm wiegen. »Die haben Venen, die sind dünn wie Bleistiftstriche. Und da muss man denn Nadeln reinjagen, die so dick sind wie Filzstifte.«

»Och nee«, sagt meine Mutter.

Im Studium hat Frieda immer an ihren Besenreisern geübt. Die geplatzten Äderchen an den Oberschenkeln hatten ungefähr den Durchmesser der Babyvenen.

Ich weiß noch, wie ich einmal in ihre Wohnung kam – wir wohnten damals nebeneinander, Frieda war in die Wohnung von Asti gezogen –, und da saß meine beste Freundin in Schlüpper und T-Shirt auf dem Fußboden und hatte eine Nadel im Bein stecken. Es war einer dieser Momente, in denen ich mir wirklich Sorgen um sie machte.

Um acht trinke ich das erste Radler. Langsam lässt die Anspannung nach. Jetzt ist sowieso alles egal.

»Du siehst toll aus!«, sagt Paul.

Ich lächle gequält.

Kathi kommt um kurz vor neun. Sie war wieder die Letzte in der Redaktion. Hannes ist erst kurz nach zehn da.

»Ist Frieda auch da?«, fragt Kathi.

»Die musste schon los«, sage ich.

»Ach schade«, sagt sie.

»Meine Mutter kennste ja, Paul kennste auch, das ist Kathi …«, sage ich.

»Tach«, sagt Hannes.

»Tach«, sagt Kathi.

Zwei Stunden später. Die meisten Gäste sind weg. Paul räumt schwankend die Flaschen zusammen.

»Lass doch«, sage ich. »Machen wir morgen.«

Auf dem Balkon sitzen rauchend Kathi und Hannes.

»Was machen die denn da?«, frage ich misstrauisch.

Paul kommt mit sehr spitzem Kussmund auf mich zugetaumelt: »Soll ich's dir zeigen?«

»Nicht«, sage ich, »das ist nicht witzig.«

Paul hebt die Hände und geht. Ich meinte nicht ihn. Wenn er nicht betrunken wäre, wüsste er das.

Kathi lacht. Es klingt glockenhell. Hannes hat seine raunende Stimmlage aufgelegt.

Ach du Scheiße, denke ich.

Hannes kann das gut. Ich bin lange genug mit ihm befreundet, um die Tricks zu kennen, mit denen er Frauen rumkriegt. Es hat mit wenig reden und viel gucken zu tun.

Irgendwann gehen die beiden.

»Kommst du ins Bett?«, ruft Paul.

»Gleich«, sage ich. Ich will erst noch die Flaschen einsammeln, die Spülmaschine vollmachen. Ordnung schaffen.

»Hattest du einen schönen Geburtstag?«, murmelt Paul, als ich mich zu ihm lege. Er kriegt die Augen nicht mehr auf, so betrunken und müde ist er.

»Mein Herz«, sage ich und greife nach ihm.

Männer im Café

Ein Café in Pankow. Zwei Männer am Nebentisch.

Einer erzählt: »... die hat zu mir gesagt: Mit 49, da wirst du in der Situation sein, dass du zum ersten Mal denkst, hier gehöre ich her, hier bin ich zu Hause.«

Ich lausche gespannt. Dass heutzutage wirklich noch Leute so reden! Ich dachte immer, die wären in den Neunzigern alle mit der Internetblase geplatzt. Oder Comedians geworden. Als Karikaturen ihrer selbst.

Verstohlen gucke ich zum Nebentisch. Die beiden Männer sehen tatsächlich auch so aus, wie sie klingen. Schlank, Mitte vierzig, Naturstoffe in Erdtönen, kombiniert mit Funktionskleidung. Die Haare spärlich und dünn. Aber lang. Lang muss sein! Und wenn die Haare an die Kopfhaut gekettet werden wie Castorgegner an die Eisenbahnschienen! Sie bestellen grünen Tee und ziehen ihre Schuhe aus, um sich im Schneidersitz auf die Stühle zu setzen. Ich fasse es nicht.

Als der Tee kommt, wechseln sie das Thema. Liebe. Hurra!, denke ich und lehne mich entspannt zurück.

Der größere der beiden ist frisch getrennt. »Ich konnte nachts nicht schlafen«, sagt er, »mir hat das körperliche Schmerzen bereitet. Da habe ich sie angerufen und ihr einen Brief geschrieben, und dann bin ich nach Frankfurt gefahren, um ihr den Brief vorzulesen.«

Bitte?, denke ich.

»Du bist zu ihr hingefahren, um ihr den Brief vorzulesen?«, fragt der Kleinere.

Echt ma!, denke ich und nicke aus Versehen.

»Ja, alles andere wäre mir zu unpersönlich gewesen.«

»Entschuldige mal«, sagt der Kleine, »aber das ist keine Trennung.«

»Warum?«, fragt der Große.

»Nein!«, sagt der Kleine. »Sich nachts in den Zug zu setzen, um seiner Exfrau einen Brief vorzulesen, das ist keine Trennung. Trennung bedeutet, den Schmerz auszuhalten und einen Strich zu machen. Schlaft ihr noch miteinander?«

»Manchmal ist die Sehnsucht so stark«, murmelt der Große.

Der Kleine schweigt. Ich wette, er guckt missbilligend.

»Manchmal ist die Sehnsucht so stark«, sagt der Große. »Das tut uns dann, glaub ich, auch gut, dem nachzugeben.«

Der arme Mann!, denke ich. Die arme Frau! Arme Welt!

Der Große verliert sich in Gedanken: »Ich wünsche mir das so, dass ich zu mir selber finde«, sagt er. »Ganz bei sich zu sein und Dinge für sich zu tun. Das wär's. Dahin komm ich nur nicht. Eigentlich würde ich gerne jeden Morgen in den Wald gehen mit meinem Hund und einen Baum fällen.«

Er will jeden Morgen einen Baum fällen? Geht's noch? Der Regenwald stirbt!

Er nimmt einen Schluck grünen Tee und redet weiter. »Eigentlich hätte ich heute meine Steuererklärung machen müssen. Aber so war ich beim Heilpraktikerkurs zwei Stunden, jetzt treffe ich mich mit dir, danach geh ich zum Yoga, dann fahr ich abends noch'n bisschen Fahrrad, und dann war's das.«

Solche Leute werden Heilpraktiker. Ich weiß schon, warum ich davon nichts halte. Er hat nicht aufgehört zu reden, ich hab nicht zugehört.

»… einfach, dass ich zwei Tage in der Woche was Praktisches tue, dass ich abends weiß, was ich getan habe. Stattdessen sitze ich da vor meinem imaginären Computer und mache gar nichts Richtiges.«

Das verstehe ich. Vor einem imaginären Computer würde ich auch nix schaffen. Vielleicht sollte er sich mal einen richtigen anschaffen. Einen echten Computer. Aus Plaste und Metall. Dann klappt's vielleicht auch mit der Liebe. Auf einem imaginären Computer kann man ja auch nur imaginäre Freunde daten. Mit denen man dann imaginären Sex hat. Dann sitzen sie da und stellen sich vor, dass sie kommen, statt es sich richtig zu machen. Das ist nichts Richtiges.

Ich höre wieder zu.

»Da muss ich mal fühlen«, sagt der Große, »was tut das mit mir? Erst mal muss das Gefühl da sein. Da muss ich ganz bei mir sein. Das ist das Schwere, was für mich zu tun. Für andere ist das kein Problem, aber für mich, für mich is das schwierig. Da muss ich erst mal hinkommen, da muss ich mich hinfühlen.«

Plötzlich weiß ich, an wen die beiden mich erinnern. An meine erste WG. In Hamburg war das. Schanzenviertel. 1999 bis 2000. Mein Freiwilliges Soziales Jahr nach dem Abitur. Mein Mitbewohner hieß Thomas und war Sozialarbeiter. Natürlich. Solche Leute werden immer Sozialarbeiter. Oder Heilpraktiker.

In dem ganzen Jahr, das ich bei ihm wohnte, aß er jeden einzelnen Tag, den der liebe Gott werden ließ, haargenau die gleichen Nahrungsmittel: morgens zwei Scheiben Dinkeltoast. Eine mit vegetarischem Brotaufstrich und eine mit Butterkäse, auf dem symmetrisch fünf gleich große Klekse Tomatenmark verteilt waren, die er direkt vor dem Verzehr gleichmäßig über dem Käse verstrich. Dazu gab es Naturjoghurt mit frischer Ananas als Nachtisch und Kräutertee zu trinken.

Wenn er abends nach Hause kam, schmiss er eine Handvoll Dinkelnudeln ins kochende Wasser und briet Tofu in der Pfanne, zu dem er kleingeschnittene Kürbisstücke hinzufügte. Manchmal auch Mohrrüben. Das Ganze würzte er mit indischem Curry.

Es roch immer gleich. Es war die gleiche Menge. Es gab nie eine Veränderung. Jeden verschissenen Tag. 365 Tage hintereinander. Egal ob es Sommer war oder Winter, ob draußen 35 Grad oder –15 Grad waren. Morgens Dinkeltoast, abends Tofunudeln. Überhaupt. Nudeln und Tofu – das passt nicht zusammen.

Thomas benutzte auch täglich dasselbe Geschirr. Für die Stullen ein rechteckiges Holzbrettchen, für die Nudeln einen tiefen Teller mit Delle im Rand. Er benutzte auch immer dieselbe Tasse und dasselbe Besteck. Ich weiß noch, wie er einmal völlig verstört in mein Zimmer kam, weil er seine Gabel nicht finden konnte. Kann sein, dass ich sie einfach benutzt hatte. Weil sie da im Abwasch lag.

Thomas hatte die Wohnung nach Feng-Shui-Richt-linien eingerichtet. Ich hab mich nie wieder irgendwo so unwohl gefühlt.

»Könntest du bitte vielleicht aufpassen, dass der Toi-lettendeckel geschlossen bleibt, wenn keiner drauf ist?«, bat er mich einmal.

»Ja klar, kein Problem«, sagte ich. Ich kannte das schon. Meine Eltern hatten jahrelang vergeblich ver-sucht, mich zum Klodeckelruntermachen zu erziehen. Hat genauso wenig funktioniert wie ihre Versuche, mir frühes Zubettgehen, Türenschließen und Tischmanieren beizubringen. Sie haben alles versucht. Sie können nichts dafür.

Thomas' Sorge aber war eine andere: »Sonst entwei-chen die positiven Energien«, hat er erklärt.

»Durchs Klo?«, hab ich gefragt, und er hat mir irgend-was erklärt, das ganz ähnlich klang wie das, was der gro-ße Mann am Nebentisch gerade erzählt.

»Mir fällt es so schwer, um Hilfe zu rufen«, sagt er jetzt. »Ich hab ja jetzt das leere Haus, da stand ich gestern drin und hab das geübt, Hilfe zu sagen.«

Oh Gott, ist das traurig! Mein Mitbewohner Thomas hatte auch so was wie eine Freundin. Die war manch-mal da. Dann schliefen sie miteinander. Danach weinte sie oft. Zum Schluss war ich fast jedes Wochenende in Berlin.

Der Große redet weiter: »Das ist so ein Gefühl, das ist total krass. Weil, das ist krass für mich. Weil ich das Gefühl habe, dass ich mich selber übergehe. Das bringt mich mir nicht näher. Statt beim Biobauern bei mir hin-term Haus ein paar leckere Bioprodukte zu holen, fahre ich dann auch mit dem Auto zu Lidl und hol mir da irgendwelche Hollandprodukte.«

Ich weiß noch, wie ich über Weihnachten und Silvester aus Hamburg nach Hause gefahren bin für zwei Wochen. Wie immer hab ich direkt abends nach der Arbeit den letzten Bus genommen. Deswegen musste ich morgens Sachen packen, hab nur drei Schluck Milchkaffee zum Frühstück genommen und bin zur Arbeit.

Nach zwei Wochen kam ich zurück. Die Wohnung stank nach Curry, Dinkeltoast und Kräutertee wie immer. Und noch etwas kam hinzu. Ein säuerlicher Geruch …

Auf dem Küchentisch stand, genau auf der Stelle, wo ich sie abgestellt hatte, die Tasse, fast voll mit dem, was mal mein Milchkaffee gewesen war. Die Flüssigkeit hatte sich in ihre Einzelteile zerlegt: Wasser und Schleim. Und aus der Mitte der Tasse, also aus der Mitte der Flüssigkeit, erhob sich, einem Eisberg im Ozean gleich, ein zwei Zentimeter hoher Schimmelpilz.

»Ich wollte nicht in deine Privatsphäre eindringen«, erklärte mir Thomas. Ich war fassungslos. Wenn in meinem Zimmer Feuer ausgebrochen wäre, hätte er es wahrscheinlich auch nicht gelöscht. Weil es ja meine Privatsphäre war.

»Das gibt mir so ein Gefühl«, sagt der Große gerade.

Ich habe plötzlich wahnsinnige Lust, ihn zu schlagen. Ich kann mich kaum zusammenreißen.

»Mir zeigt sich eigentlich mehr und mehr«, sagt der Große, »mehr und mehr mach ich mir Gedanken, hab das Gefühl, da ist eine Gemeinschaft, da geb ich so viel rein von meiner Persönlichkeit und kann meine Möhren anbauen.«

»Alter, du hast keinen Liebeskummer, sondern eine stinknormale Midlife-Crisis!«, möchte ich rufen. »Du denkst, du bist ein Altruist. Aber das bist du nicht. Du bist ein egomanisches Arschloch, das sich für nichts auf der Welt mehr interessiert als für die eigenen Befindlichkeiten. Wenn ich dein humorloses, selbstverliebtes, selbstmitleidiges Geseier nur eine Minute länger ertragen muss, übergebe ich mich. Hier und jetzt. Auf der Stelle. In deine Teetasse!«

Mach ich natürlich nicht. Ich bezahle. Und gehe. Und überlasse die beiden ihrem Schicksal.

Eifersucht

»Wie war es noch?«, fragt Frieda.

Wir sitzen in ihrer neuen Küche und trinken Kaffee, ich auf einem Holzschemel, sie auf einem Eimer. Frieda hat sich jetzt eine Wohnung gekauft, zusammen mit ihrem komischen Freund. Ich mag Friedas Freund, ehrlich, allein schon deshalb, weil sie ihn mag. Frieda hatte vorher so einen merkwürdigen Hang zu alten Männern. Aber das ist eine andere Geschichte. Jetzt renoviert Frieda die Wohnung. Der Freund muss arbeiten. Er ist Ingenieur.

»Wie war es noch?«, fragt Frieda.

»Ach, frag nicht«, sage ich.

Meine Geburtstagsparty ist jetzt zwei Wochen her. Seitdem hat sich vieles verändert. Meine beste Freundin Kathi schläft jetzt mit meinem besten Freund Hannes. Meine zweitbeste Freundin Kathi.

»Machst'n heute Abend?«, schrieb ich Kathi am Tag nach meinem Geburtstag. Wir wollten eigentlich tanzen gehen. Wir waren so halb verabredet.

»Zuletzt online um 20:32« stand am oberen Rand des Handybildschirms. Es war 21:15 Uhr. Um 21:41 Uhr sah ich, dass sie die Nachricht gelesen hatte.

Antwort kam erst am nächsten Morgen. »Sorry, war beschäftigt«, schrieb sie, darunter ein Zwinkersmiley.

»Mit wem?«, fragte ich. Dabei wollte ich es eigentlich gar nicht wissen.

Es ist ein ganz komisches Gefühl, wenn zwei Menschen, deren Verbindung zueinander du warst, plötzlich eine Abkürzung nehmen und selber eine Verbindung eingehen. Miteinander. Ohne dich.

Zuerst fand ich die Idee sogar irgendwie gut. Er war allein, sie war allein. Dann wurde mir klar, dass die Einsamkeit meiner Freunde einen guten Teil meiner Freizeitgestaltung motivierte. Wenn meine beiden wichtigsten Feierfreunde jetzt plötzlich andere Interessen entwickelten, was wurde dann aus mir?

Kathi und ich trafen uns zwei Tage später in einer Bar am Wasserturm. Der Kellner sah aus, als ob er gestern noch bekifft in Barcelona am Strand gelegen hätte. Er sprach nur Englisch.

»Ist das okay für dich?«, fragte Kathi.

»Macht mal«, sagte ich.

»Wenn du ein Problem damit hast, musst du es nur sagen«, sagte Kathi.

»Macht mal«, wiederholte ich.

Das Gespräch kam nicht richtig in Gang. Wir verabschiedeten uns bald wieder.

»Bist du eifersüchtig?«, fragt Frieda. Sie hat so ein hinreißendes Talent, immer die falschen Fragen zu stellen. Also die richtigen.

»Nein!«, sage ich viel zu barsch, als dass mir irgendjemand glauben könnte. Nicht mal ich selber.

»Ja«, murmele ich, um schnell hinterherzuschieben: »Nein.« Was weiß denn ich.

Friedas Wohnung liegt am Stadtrand, ein Neubau mit Betonwänden und kleinen Zimmern. Ich hoffe, dass sie hier glücklich wird. Mein Cousin hat sich jetzt auch eine Wohnung gekauft, in einer Baugemeinschaft direkt am Ostkreuz. Mich würden allein die Möglichkeiten einer solchen Investition überfordern; die Frage, wo das Bad hin soll und wie viele Klos man braucht und ob die Küchenzeile jetzt 2,7 oder doch 3 Meter lang sein soll.

Als Onkel Klaus die Altbauwohnung in Pankow gekauft hat, brauchte er sechs Monate, um die Badfliesen auszusuchen. Ich verstehe das. Es ist eine Entscheidung für immer. Wie heiraten. Das will man ja auch nicht für den Rest seines Lebens bereuen. Tante Erna hat in ihrer Eigentumswohnung als erste Amtshandlung Küche und Schlafzimmer vertauscht. Seitdem liegt sie abends im Bett und lauscht den WG-Küchen-Partys, die in der Wohnung unter ihr stattfinden.

Ich mag Mietwohnungen. Ich mag das Gefühl, Teil einer langen Reihe von Menschen zu sein, die in diesen Räumen gewohnt, an dieser Wand gevögelt, in dieser Wanne gebadet haben. Ich mag die Idee, Teil einer Geschichte zu sein. Es ist wie Restekochen. Man macht aus dem, was da ist, was Schönes. Mal gucken, was passiert. Es gibt Leute, die sich die fertigportionierten Zutaten fürs Candle-Light-Dinner in der Biokiste an die Wohnungstür liefern lassen, inklusive Salz und Pfeffer in portionierten Tütchen. Dann lieber gleich Pizza bestellen. Gebt doch wenigstens zu, dass ihr nicht kochen könnt!

»Was hast du gegen Biokisten?«, sagt Frieda ein wenig

beleidigt. Dann murmelt sie: »Wusst ich doch gleich, dass du mich verachtest!«

»Ach Frieda«, sage ich, »erzähl nich so'n Blödsinn!«

Frieda hat jetzt ihren gesamten Resturlaub genommen, um die Wohnung zu renovieren. Seit Wochen guckt sie sich Einrichtungssendungen im Fernsehen an und studiert die Fachliteratur von *Freundin* bis *Apotheken Umschau*.

»Es gibt da völlig neue Gestaltungskonzepte!«, erklärt sie mir begeistert und hält Vorträge über die universalen Unterschiede zwischen »cremeweiß« und »Eierschale«.

Ich kenne ihren Hang zum Spießertum, daher nicke ich gnädig und sage »Mhmh« oder »Ach?!«.

»Aber weißte, was total nervt?«, sagt Frieda.

»Mhmh«, sage ich, »die Fliederfarben?«

»Nein«, sagt Frieda, »die Baumärkte!«

Ständig müsse sie in den Baumarkt rennen, weil sie noch irgendwas vergessen hat, erzählt Frieda, und jedes Mal fühle sie sich dort ungefähr so fehl am Platz wie ein Urologe aufm Gynäkologenkongress. Genauso ernst werde ihre Expertise dort auch genommen.

»Die halten einen doch alle für geistig behindert, wenn man keinen Penis hat«, sagt Frieda.

Sie klemmt sich beide Daumen hinter die imaginären Hosenträger vor ihrer Brust, streckt Bauch und Becken nach vorne und äfft den Fachverkäufer nach: »Was? Wollen? Sie? Farbe? Sie wollen also Farbe? Die Kosmetikabteilung ist aber wo-an-ders!«

Mittlerweile ist Frieda zur Baumarktexpertin geworden. Sie hat auch schon alle Ketten durchprobiert. Zum Beispiel Hellweg. »Ein Weg in die Hölle«, sagt Frieda,

»der Name ist Programm. Und Obi ist nichts weiter als ein besserer Bastelladen. Die hatten nicht mal Blindabdeckungen!«

»Mhmh«, sage ich, »ach?!«

»Lea!«, sagt Frieda streng. »Weißt du etwa nicht, was Blindabdeckungen sind?!«

»Mhmh«, sage ich. »Wie findest du eigentlich meinen neuen Lidschatten?«

»Och weißte!«, sagt Frieda. »Mit dir kann man echt keine Fachgespräche führen!«

Das große Blau

Ostsee, das ist Blau. Vorne, oben, rechts und links nichts als Blau mit einem feinen schnurgeraden Strich in der Mitte. Ansonsten weißer Sand unten und hinten. Vielleicht sind in dem oberen Blau noch ein paar Wolken, eine Sonne, Möwen; vielleicht schiebt sich ein Schiff als heller Punkt über den Strich in der Mitte. Auch Muscheln und Steine dürfen im Sand liegen, und Gras darf auf den Dünen wachsen. Von mir aus darf es auch regnen oder schneien, es darf sogar Nacht sein. Wirklich wichtig ist nur das große Blau, das einem die Augen aus den Höhlen saugt, weil es nichts zu sehen gibt und man doch immer nur guckt. Dazu das steinige Salz im Mund und das Brüllen der Wellen, das einem alle Gedanken ausspült, bis nur noch einer übrigbleibt: Ostsee, endlich!

»Wie, du hast seit Jahren nicht in der Ostsee gebadet?!«, frage ich entgeistert.

Wir sitzen im Bus in die Gegend, wo Paul herkommt, da, wo die Ostsee vor der Tür ist.

»Ich war immer nur Weihnachten bei meinen Eltern«, murmelt er und hat schon wieder die Augen zu.

Ich bin so verblüfft, mir fällt fast der Apfel aus der Hand, an dem ich seit Stunden rumnage. Im Bus darf man nicht rauchen, und er hat die meiste Zeit geschlafen.

Ich ziehe ihn am Ohr. Das kann er nicht leiden. Da reagiert er auf jeden Fall.

»Hmpf«, macht er.

»Es muss irgendwas sein mit den Berlinern und der Ostsee«, überlege ich. »Wahrscheinlich liegt es weniger an der einen Mauer als an den vielen, daran, dass der Berliner Horizont aussieht wie das EKG eines Cholerikers, verstehste?«

»Mhm«, macht er.

»Die Ostsee ist ruhig, nicht aufbrausend wie der Atlantik. Vor der Ostsee muss man keine Angst haben. Die Ostsee ist das Ende der Welt. Dahinter kommt nichts mehr. Es soll ja Leute geben, die mögen die Nordsee lieber. Aber was soll ich mit einem Meer, das nie da ist, wenn ich es brauche, auf das ich stundenlang warten muss und das mich umbringt, wenn ich nicht aufpasse? Sag doch mal!« Ich knuffe ihn in die Seite.

Er fährt zusammen und stöhnt.

»Magst du die Ostsee nicht?«, frage ich.

»Doch«, seufzt er, »ich mag die Ostsee.«

Ich kann ziemlich anstrengend sein, wenn ich will. Und manchmal habe ich furchtbare Angst, anstrengend zu sein, gerade Leuten gegenüber, die ich sehr mag. Und manchmal finde ich mich selbst so anstrengend, dass ich alle für pervers erkläre, die mich trotzdem mögen. Das kann für meine Mitmenschen ziemlich anstrengend sein.

Kurz nachdem sich meine Eltern getrennt hatten, lag meine Urgroßmutter im Sterben. Sie war 97 Jahre alt, ein gutes Alter, um abzutreten. Sie war bei vollem Bewusstsein und nicht mal krank, sie hatte nur keine Lust mehr zu leben, kann man ja auch verstehen, irgendwann ist auch mal gut. Blöd war nur, dass sie sich zum Sterben ein Krankenhaus im Grunewald ausgesucht hatte. Nicht grade das nächste Ende vom Prenzlauer Berg aus.

Nun war das die Zeit, in der ich gerade Fahrrad fahren gelernt hatte, also was heißt gerade, seit zwei Jahren konnte ich mich auf zwei Rädern halten und benutzte seitdem keine öffentlichen Verkehrsmittel mehr. Ich war siebzehn.

Weil ich nun so irgendwie das Gefühl hatte, dass die Oma es nicht mehr lange machen würde – wir hatten Wetterumschwung, Sterbewetter –, hielt ich es für eine gute Idee, sie noch mal im Krankenhaus zu besuchen, um mich von ihr zu verabschieden.

Also fuhr ich die Bötzowstraße nicht nach links zur Schule, sondern nach rechts, dann weiter über den Alex und die Linden runter. Ursprünglich hatte ich vorgehabt, irgendwann nach links Richtung Ku'damm auszuscheren. Aber ich kam nur bis zur Staatsbibliothek. Direkt vor dem Gebäude Unter den Linden 8 öffnete sich vor mir eine Autotür, ich fuhr dagegen, flog oben drüber, landete mitten auf der Busspur und dachte: Scheiße, jetzt wirste überfahren!, als hinter mir ein Taxi quietschte. Es war mitten im Berufsverkehr.

So endete mein Schuleschwänzen nicht in der Geriatrie des Martin-Luther-Krankenhauses in Grunewald, sondern im St. Hedwigs in der Notaufnahme. Irgendwie war ich mit nichts als einer Schürfwunde am linken Unterarm davongekommen. Sie klebten mir ein weißes Pflaster drauf und schickten mich nach Hause.

Meiner Mutter erzählte ich nichts. Sie hatte genug eigene Sorgen, da brauchte sie kein Kind, das statt in der Schule zu sitzen im Krankenhaus landete. Und dann noch im falschen.

Als sie sich über das Pflaster über meinem Ellenbogen wunderte, erklärte ich, ich sei mit dem Fahrrad umgekippt und hätte mich in der Apotheke verarzten lassen. Irgendwie stimmte das ja fast. Sie nahm es hin. Seit ich Fahrrad fahren konnte, hatte ich ständig Schürfwunden.

Zwei Tage später jedoch stand meine Mutter vor mir und sprach mit all der ihr zur Verfügung stehenden mütterlichen Strenge die unheilverkündenden Worte: »Mein liebes Fräulein, hast du mir irgendwas zu sagen?«

Nun ist das ja so, dass man als Teenager eigentlich ständig ein schlechtes Gewissen hat. Die Pubertät besteht ja gerade darin, Erwartungen nicht zu erfüllen.

»Äh!«, sagte ich, um Zeit zu gewinnen, und ging im Kopf die Liste der möglichen Verfehlungen durch, ohne auf eine Lösung zu kommen: Ich war nicht schwanger, hatte nichts kaputtgemacht, nichts aufgegessen, nichts geklaut und, soweit ich wusste, auch nichts vergessen. »Äh, nein!«, sagte ich deshalb.

Meine Mutter explodierte: »Heute klingelt das Telefon und ein mir völlig unbekannter Mann meldet sich mit den Worten: ›Hier ist der Idiot Kwiatkowsky!‹, und ich sage: ›Bitte, wer?‹, und er sagt: ›Ich hab doch vorgestern Ihre Tochter überfahren!‹ Hast du mir vielleicht doch irgendwas zu sagen???«

Zu allem Übel stellte sich auch noch heraus, dass der Idiot Kwiatkowsky von Beruf Kinderpsychiater war. »Sie sollten mal das Vertrauensverhältnis zu Ihrer Tochter überprüfen«, empfahl er meiner armen Mutter. Offensichtlich hatte er noch nie was von dem Phänomen Pubertät gehört.

Der Bus biegt um eine schmale Kurve.

»Die Geschichte hast du mir schon dreimal erzählt!«, murmelt Paul. Doch ich höre ihm nicht zu. Vor uns liegt das große Blau. Ostsee, endlich!

Hinterm Spiegel

Vor dem Fenster des Cafés in Prenzlauer Berg, in dem ich sitze und versuche zu arbeiten, steht ein Tisch mit Stühlen in der Sonne. An dem Tisch sitzt eine junge Frau, Anfang bis Mitte zwanzig, hinten am Kopf der Pferdeschwanz, vorn auf der Nase die Sonnenbrille. Sie checkt erst ihr iPhone und dann ihr Gesicht in der Fensterscheibe, hinter der ich sitze und sie beobachte. Die Sonne scheint auf die Fensterscheibe und durch sie hindurch. Ich kriege auch Sonne ab, aber die junge Frau sieht mich nicht. Sie sieht nur sich selbst. Zwei Pickel in ihrem Gesicht haben ihre Aufmerksamkeit erregt.

Sie holt einen Taschenspiegel hervor und betrachtet sie genauer.

Nicht pulen, denke ich. Sie pult nicht.

Die Freundin kommt dazu, roter Pferdeschwanz, keine Brille. Sie setzt sich gegenüber. Viel zu sagen haben die beiden sich nicht. Die Freundinnen am Tisch neben mir dafür umso mehr. Sie sind Anfang bis Mitte vierzig. Die, die zu spät gekommen ist, trägt eine Trainingshose mit roten Streifen, hat ein Kind in der Kita und einen Mann namens Stefan. Sie ist Schauspielerin. Sie redet über Depressionen. Ihre eigenen und die ihrer Kollegen.

Irgendwer hat sich umgebracht. Vom Hochhaus gestürzt.

Wie schrecklich, denke ich.

Die Kellnerin hat mir ein Szegediner Gulasch gebracht und eine Apfelschorle. Ich esse, trinke, höre und sehe. Weil ich den Kopf nicht zum interessanten Gespräch der Vierzigerinnen drehen mag, gucke ich weiter geradeaus, aus dem Fenster, den Zwanzigerinnen zu, die mich nicht sehen.

Beide checken ihre Smartphones. Checken ihre Spiegelungen. Die Münder bewegen sich kaum. Die Kellnerin steht vor ihnen. »Habt ihr schon bestellt?«, lese ich von ihren Lippen. Die Mädchen murmeln Bestellungen in ihre Mantelkrägen, dass die Kellnerin den Kopf schief legen muss, um sie zu verstehen. Oder um ihre Genervtheit zu verbergen.

Die Frauen am Nebentisch sind bei Wohnungen angekommen. Die mit der Jogginghose ist grad nach Pankow gezogen. Ein Townhouse am Park. Prompt ist meine Sympathie flöten.

Die Sonne ist weg. Das Mädchen setzt die Brille ab, checkt die Fensterscheibe, sieht plötzlich mich und fährt vor Schreck zusammen.

Klassenkampf

Am Gesundbrunnen steht ein Backshop auf dem Ring-
bahnsteig. Es gibt Apfeltaschen für ein Euro dreißig und
Kaffee zum Mitnehmen für eins fuffzig. Die Frau hinter
der Theke ist Anfang zwanzig. Sie hat sich zentimeter-
lange falsche Wimpern ins Gesicht geklebt und einen
Glitzerstein am Ohr.

»Zwei achtzig«, sagt sie zu mir und stemmt sich die
Faust ins Kreuz.

Ich gucke sie an.

»Mein Rücken«, sagt sie entschuldigend.

Ich stelle mich auf Zehenspitzen und gucke über die
Theke: »Haben Sie keinen Stuhl da drin?!«

Sie schüttelt den Kopf. »Nein«, sagt sie. »Wenn nichts
los ist, kann ich mich hier anlehnen.«

Sie klopft mit der flachen Hand auf eine vorspringende
Kante am Kühlschrank. Der Plastikhintern einer Barbie-
puppe würde darauf Platz finden, aber nicht die müden
Knochen eines erwachsenen Menschen.

»Wie lange stehen Sie denn hier?«, frage ich.

»Neuneinhalb Stunden?«, sagt sie, und es klingt, als
würde sie sich dafür entschuldigen.

»Ach du Scheiße!«, sage ich.

»Aber heute nur noch anderthalb«, sagt die Frau und nickt Richtung Bahnhofsuhr. Es ist halb zwei. Es wird mich später mehrere Minuten Lebenszeit kosten, auszurechnen, wann die junge Frau morgens antreten muss, aber ich weiß jetzt schon, dass es verdammt früh ist.

»Jeden Tag?!«, sage ich. »Ohne Stuhl!«

Sie nickt.

»Wie lange machen Sie das schon?«

»Zwei Jahre«, sagt sie und hat wieder diesen entschuldigenden Unterton. Sie reibt sich den schmerzenden Rücken.

Ich könnte schreien vor Empörung. Ich würde den Backshop am liebsten niedertrampeln und dem Erdboden gleichmachen, die Apfeltaschen auf die Ringbahngleise pfeffern und schwarzen Kaffee drübergießen. Ich möchte den Widerstand der rechtlosen Servicekräfte anführen. Die sollten mal streiken! Da lohnt es sich wenigstens. Diese blöden Bahngewerkschaften mit ihrem Rosenkrieg. Karl Marx wird bald zweihundert Jahre alt und diese Frau kann an ihrem Arbeitsplatz noch nicht mal sitzen!

»Zwei Euro achtzig«, sagt sie noch mal. Ich reiche drei Euro über den Tresen.

»Stimmt so«, sage ich.

Sie bedankt sich herzlich. Jetzt schäme ich mich.

Die Bahn kommt. Ich steige ein. Eine Schulklasse folgt mir und gruppiert sich um mich und mein Fahrrad drum rum. Einige der Jungs sehen aus wie sechzehn, andere wie neun. Wahrscheinlich sind sie alle so zwölf oder dreizehn Jahre alt.

Die beiden Klassenprinzessinnen lehnen links an der Trennwand und würdigen die Jungs keines Blickes. Rechts die männlichen Gegenstücke. Zwei Jünglinge, die aussehen wie die ungeschminkten kleinen Brüder von Tokio Hotel, reichen ein Smartphone hin und her, auf dem sie irgendein Autorennspiel spielen.

»Woah, der war krass!«, sagen sie. »Hast du den gesehen?«

Zwei kleinere Jungs stehen dabei und himmeln sie an.

»Ey, du stehst mir im Licht!«, sagt der blonde Smartphone-Jüngling.

Einer der Kleinen duckt sich weg.

Ein fünfter Junge steht daneben und guckt woanders hin. Sein Blick ist weich, zärtlich.

Ich folge ihm bis zu dem dünnen Mädchen mit bitterschokoladenbraunen Haaren, das allein an der Trennwand rechts hinter mir steht. Sie hat riesige dunkelrote Kopfhörer auf dem Kopf und liest in einem dicken moosgrünen Buch. *Harry Potter*, denke ich. Als sie das Buch zuklappt, lese ich: *Die finstere Mördergrube der Verdammnis*. Na ja, fast, denke ich und bin ein bisschen verliebt. Dem Mädchen ist das egal. Sie hört Musik und lächelt verträumt vor sich hin.

»Vera, was machst du da«, fragen die Tokio-Hotel-Brüder plötzlich. Sie ertragen es nicht, wenn irgendjemand sich nicht um sie schert.

Die Grazien stimmen mit ein: »Vera, hörst du Musik?«

»Ist es schöne Musik, Vera?«

»Vera, sag doch mal!«

»Ich glaub, Vera hat die falschen Drogen genommen.«

Die Grazien lachen schrill.

Vera schaut aus dem Fenster.

»Jetzt lasst sie doch mal«, sagt der fünfte Junge plötzlich, »sie kann euch nicht hören!«

Er dreht sich um und schaut sie an. »Sie hört doch nur Musik!«

Vera lächelt.

Wer hat Angst vor der Ostbäckerin?

»Sag mal …«, ruft Paul durch die Wohnung. Ich liege im Bett und versuche, die Augen offen zu halten. Paul poltert im Flur. »… hast du noch irgendwo Kleingeld?«, ruft er.

»Guck mal in meine Hosentasche«, murmele ich und drehe mich auf die Seite, »da muss noch ein Zehn-Euro-Schein sein.«

»Nee, ich brauch Kleingeld«, sagt Paul und kramt in einer Schublade.

»Wofür brauchst du denn unbedingt Kleingeld?«

»Sag ich nich«, sagt er.

Ich öffne die Augen und gucke ihm eine Weile zu. So im Halbschlaf denkt es sich nicht so schnell. Dann dämmert mir was: »Sag mal«, sage ich, »kann es sein, dass du Angst vor der Ostbäckerin hast?«

Paul hört auf zu suchen und sieht mich an: »Die guckt immer so böse!«, ruft er in komischer Verzweiflung. »Du hast ja keine Ahnung, wie die guckt, wenn man mit einem Schein bezahlt!«

Paul kommt nicht von hier. Er wuchs auf in einer Gegend, wo man »Bitte« und »Danke« sagt, sich begrüßt und verabschiedet, und wo man generell einen etwas, sagen wir, milderen Umgangston pflegt.

Das Problem ist aber, dass die Ostbäckerin wirklich die besten Schrippen der Welt backt. Also zumindest die besten in der ganzen Florastraße. Und in der Florastraße gibt es Bäcker wie anderswo Straßenschilder. Und Apotheken. Meine schwedische Freundin Sabina hat das festgestellt, als sie mal sechs Monate bei mir gewohnt hat: »In Pankow wohnen viele Omas«, schrieb sie in einem Aufsatz für ihren Deutschkurs. »Es gibt Apotheken und Bäcker. Omas wollen Kuchen und Pillen.«

Letzten Montag war ich selber bei der Ostbäckerin.

»Hallo«, sagte ich, »vier Schrippen und ein Roggenbrot bitte. Und dann hätte ich gerne noch ...«

Gierig betrachtete ich die ausgestellten Kuchenstücke. Das kommt davon, wenn man hungrig einkaufen geht. Passiert mir ständig. Ich sitze am Schreibtisch und arbeite, und plötzlich krieg ich schlechte Laune. Und Kopfschmerzen. Und dann denke ich: Musste mal wieder an die frische Luft. Brot ist eh alle. Und schon stehe ich beim Ostbäcker und sabbere die Auslage voll. »... ich möchte ... ich nehme ...« Die Bäckerin atmet dann immer hörbar durch die Nase.

Ich hab ja auch mal ein Jahr woanders gewohnt. In Hamburg nämlich. Die ersten sechs Monate dachte ich: Boah, sind die alle cool hier!, und die letzten sechs Monate: Mann, sind die alle verklemmt!

Das ganze Jahr bin ich zu demselben Hamburger Bäcker gegangen. Und immer habe ich dasselbe gekauft: vier Schrippen und ein Roggenbrot. Und manchmal noch ein Stück Kuchen. Der Bäcker hat nie auch nur das kleinste Anzeichen von Wiedererkennen sehen lassen, immer nur das gleiche tonbandartige »Guten Tag, Sie wünschen?« und dazu dieses aufgesetzte Lächeln. Ich hatte solches Heimweh!

Zurück in Berlin bezog ich meine erste eigene Wohnung. 32 Quadratmeter, Hinterhof, Ofenheizung, Balkon UND Innenklo. Der totale Luxus. Und dann ging ich zum Bäcker, links die Straße runter, zu dem, der seine Schrippen selber backt. Und da konnte ich mich nicht gleich entscheiden und stand so da, an der Theke: »... ich möchte ... ich nehme ...« Da polterte der Bäckermeister los: »Nu machen Se mal'n bisschen hin, junge Frau, Sie sind nich die Einzige hier!« Ich wäre ihm vor Glück fast um den Hals gefallen.

Es scheint irgendwie einen unauflösbaren Zusammenhang zu geben zwischen der Qualität von Schrippen und dem Unverschämtheitsgrad ihrer Verkäufer.

»... davon ein Stück, bitte!«, sagte ich letzten Montag zu der Bäckersfrau und zeigte auf den Mohnkuchen: schwarz wie Ebenholz lag er in seiner Glasvitrine, bedeckt mit einer weißen Schneedecke aus Zuckerguss.

Und dann stand ich zu Hause in der Küche und aß eine Schrippe mit Käse, und direkt danach schnitt ich ein daumendickes Scheibchen vom Mohnkuchen ab.

»Du glaubst es nicht!«, sagte ich am nächsten Tag zu Doro, meiner Physiotherapeutin, während sie mir mal wieder jeden Knochen einzeln brach. »Staubtrocken war der Mohnkuchen! Au! Steinhart!«

Doro ist eine Frau wie ein Kugelblitz. 155 Zentimeter geballte Energie. Wenn Doro mich massiert, versuche ich immer, die ganze Zeit zu reden, um mich von den Schmerzen abzulenken.

»Aua!«, brüllte ich. »Der war mindestens schon zwei Tage alt!«

»Atmen!«, befahl Doro.

»Ah!«, sagte ich. »Weißte, ich find das ja in Ordnung, wenn die alten Kuchen verkaufen, is doch schade, wenn man's wegschmeißt, aber dann bitte für 50 Cent pro Tüte und nich für 1,25 Euro das Stück. Is doch echt 'ne Frechheit! Mir is das ja vor 'ner Weile schon mal passiert. Da hab ich dort Kuchen gekauft und den denn zu meiner Mutter mitjebracht. Die hat da einmal reinjebissen. Dann hat sie mit verzerrtem Gesicht und vollem Mund jesacht: ›…meckt ja wie früher!‹«

»Und?«, fragte Doro. »Hastes zurückjebracht und dich beschwert?«

»Nee«, sagte ich.

»Na ja«, sagte Doro.

»Aua, nich so doll!«, sagte ich.

»Die sind ja ooch alle bei uns in Behandlung«, sagte Doro.

»Die vom Ostbäcker?«, fragte ich.

»Klar!«, sagte Doro und erzählte: »Neulich hat die Chefin da mal Kuchen für die janze Belegschaft jekauft. Na, pass uff. Sie steht so da und zeigt auf den jedeckten Appel, und die Verkäuferin guckt sie bloß an, schüttelt janz leicht'n Kopp und murmelt: ›Nich den!‹ Unglaublich, oder? Eigentlich dürfte man da janich mehr einkaufen!«

»Schon«, sagte ich. »Aber die Schrippen sind so gut!«

Der Punkt ist, die Stuttgarter können gentrifizieren, bis sie schwarz-gelb werden. Die Ostbäckerin macht genau dieselbe Mangelwarenpolitik wie schon vor dreißig Jahren. Und wir haben nur die Wahl, uns entweder ihrem Diktat zu unterwerfen oder pappige Westbrötchen zu essen. Solange es solche wie die Ostbäckerin gibt, wird die DDR nicht gänzlich ausgestorben sein.

Unter Zugzwang

»Wann sollte dieser Flughafen eröffnet werden?«, frage ich Paul. Es ist Montagmorgen, 6:21 Uhr. Wir liegen im Bett und sind wach. Seit 22 Minuten. Der erste Flieger kam nämlich heute schon um 5:59 Uhr. Da war noch Nachtflugverbot!

»Mai, glaub ich«, murmelt Paul, »Mai 2010. Oder Juni? Ich weiß nicht mehr.« Ein weiteres Flugzeug fliegt über unsere Köpfe hinweg. Es ist das zehnte heute Morgen. Wir wohnen in einem unsanierten Altneubau in Pankow im obersten Stockwerk. Wenn der Wind aus einer bestimmten Richtung weht, verläuft die Einflugschneise nach Tegel gefühlte drei Meter über unserem Schornstein.

Früher haben mich die Flugzeuge nie gestört. Aber seit dem Desaster mit Schönefeld sind es irgendwie dreimal so viele. Seit fünf Jahren!

Außerdem wird jetzt direkt vor unserem Schlafzimmerfenster seit dem Sommer ein Haus gebaut. Ganz viele neue Eigentumswohnungen. Morgens um sieben ist Baubeginn. Am liebsten mit Presslufthammer, damit wir alle was davon haben.

Und dann fand unser Nachbar im Frühjahr auch noch

eine neue Freundin. Eine mit einer sehr hohen, sehr lauten Stimme. Seitdem war auch unsere Restnachtruhe dahin.

»Ich konnte um zwei wieder nicht einschlafen, weil die Nachbarn so laut Sex hatten«, sagte ich morgens zu Paul.

»Oh Mann«, sagte Paul, »ich konnte um elf schon nicht einschlafen, weil die so laut Sex hatten …«

Man gerät ja auch unter Zugzwang.

Noch sind sie frisch verliebt, dachten wir, das vergeht, dann sinkt die Fickfrequenz und wir sind die Sorge los. Falsch! Mit abnehmender Fickfrequenz stieg nämlich die Streitrate. Und streiten können die Nachbarn noch lauter und ausdauernder als vögeln.

»Wie es wohl sein wird, wenn keine Flugzeuge mehr über Pankow fliegen?«, überlege ich laut. »Und wenn das Haus gegenüber fertig ist? Und die Nachbarn ziehen in eine Eigentumswohnung?«

»Dann bist du endlich wieder die Lauteste hier«, murmelt Paul und schläft wieder ein.

Animalisches

Sonst erzähle ich immer nur Geschichten über zwischenmenschliche Beziehungen. Diesmal nicht.

Ich wollte immer ein Haustier haben. Irgendeins. Ich hatte zwar meinen kleinen Bruder Anton, aber mit dem konnte man nicht ordentlich spielen. Der hat immer bloß geschrien, gegessen oder geschlafen. Später dann konnte ich mich mit ihm prügeln, aber das hat auch nicht lange Spaß gemacht, weil er ziemlich schnell stärker wurde als ich. Deshalb wollte ich ein Haustier haben.

Im Kindergarten gab es hinter dem Schuppen, wo die Dreiräder und Buddelschippen verstaut waren, ganz viele Spinnen aus der Familie der Opa Langbeine. Papa hatte gesagt, die tun nix. Das ideale Haustier also.

Anton und ich sammelten die Spinnen ein und steckten sie in Marmeladengläser. Dann veranstalteten wir Spinnenrennen. Die Viecher verließen aber ständig die vorgegebene Bahn. Außerdem waren sie äußerst schwer wieder einzufangen, wenn sie einmal losgerannt waren. Daher kamen wir auf die Idee, den Spinnen ein paar Beine auszureißen. Anton meinte, sie würden dadurch langsamer.

»Die brauchen gar keine acht Beine«, sagte er. »Auf

vieren können die auch noch krabbeln. Und man hat sie dann besser unter Kontrolle.«

Am dritten Tag erwischte uns Frau Schwittauer bei unseren Animalparalympics, gerade als mein Team am Gewinnen war. Sie tobte ein bisschen, und Anton und ich bekamen an dem Tag keinen Nachtisch. War aber nicht so schlimm, es gab Himbeerjoghurt. Viel schlimmer war, dass der Schuppen daraufhin gesperrt wurde. Wir durften dann nur noch unter Aufsicht unsere Dreiräder parken.

Einige Zeit später wurde ich eingeschult. Mein Lieblingsfach war Schulgarten. Man glaubt gar nicht, wie viele Regenwürmer auf eine Schaufel Erde passen! Regenwürmer sind toll. Die haben zwar keine Beine, aber wenn man die in der Mitte auseinanderreißt, kriecht mindestens eine Hälfte alleine weiter. Ich wollte die Experimente zu Hause fortsetzen, vergaß die Würmer dann aber dummerweise in meiner Hosentasche. Als Mama die Schulgartenhose waschen wollte, waren die Würmer dort schon zu einem braun-grünen Brei verschmolzen. Kriechen konnten sie dann nicht mehr. Mama bekam einen Pickel an der Oberlippe und verbot mir, mit Regenwürmern zu spielen.

Anton und ich probierten es noch mit Schnecken- und Marienkäferzuchten, leider ohne durchschlagenden Erfolg. Eine Schnecke überlebte die Heimfahrt im D-Zug von der Ostsee. Wir nannten sie Victor und setzten sie zu Hause in Mamas Blumenkiste. Dort fraß sie zuerst die Minze, dann den wilden Wein und zum Schluss den Efeu auf. Erst dann wurde sie entdeckt und eliminiert.

Irgendwann ging Mama mit uns zu einer Psychologin.

»Die Kinder müssen lernen, Verantwortung zu über-
nehmen«, sagte die. »Schenken Sie Ihren Kindern etwas,
auf das sie ganz alleine aufpassen müssen, damit sie den
Wert fremden Lebens erkennen.«

So bekamen wir Manfried. Manfried war ein Wellensittich und grün und hieß Manfried wie Manfred Krug,
aber mit i. Der dicke Mann im Zooladen hatte nämlich
gesagt, dass Vögel Namen mit i lernen könnten. Aber nur
die Männchen. »Die Weibchen sind ja schließlich für die
Eier zuständig«, hatte der dicke Mann grinsend zu Mama
gesagt, woraufhin Mama gleich wieder einen Pickel an
der Oberlippe bekam.

Manfried mit i, genannt Manni, lernte seinen Namen
nie. Dabei taten wir wirklich unser Bestes, mein Bruder
und ich.

Erst versuchten wir es mit antiautoritärer Erziehung:
Er durfte frei wie ein Vogel im Zimmer herumfliegen.
Meistens saß er oben auf der Gardinenstange und sagte
gar nichts. Wir redeten verständnisvoll auf ihn ein, Anton und ich: »Manni, du enttäuschst uns sehr, wenn du
jetzt nicht deinen Namen sagst. Da werden Mutti und
Vati nämlich ganz traurig. Und das willst du doch sicher
nicht!« Anton protestierte, er verbitte sich die Bezeichnung »Vati«, und der Wellensittich Manni drehte sich
nur um und schiss herzhaft gegen die Fensterscheibe.

Wir griffen zu härteren Mitteln. Freiheitsentzug und
Nahrungsrationierung: »Du kriegst erst wieder was
zu fressen, wenn du laut und deutlich darum gebeten
hast!«

Es half alles nichts, der Vogel blieb stumm. Als Mama
von unseren Erziehungsmaßnahmen erfuhr, rastete sie

völlig aus. Wir bekamen eine Woche Fernseh- und lebenslanges Haustierverbot.

Manfried wurde zu Oma in den Garten gegeben. Oma hatte nämlich eine Voliere. Dort tat sie Manfried rein und kaufte noch einen blauen Wellensittich dazu. Der hieß Harald. Manfried und Harald verstanden sich ausnehmend gut, viel besser als wir das von zwei Vogelmännchen erwartet hätten.

»Kein Wunder«, sagte mein Bruder Anton, als er einmal vor der Voliere stand, wo die beiden wie Turteltäubchen übereinander sprangen, »Manfried und Harald! Da hätten wir sie ja gleich Siegfried und Roy nennen können!«

Jedenfalls zeigte sich im nächsten Frühjahr, dass uns der dicke Mann im Zooladen beschissen hatte. Denn Manfried war weder schwul noch ein Männchen. Er legte ein paar Eier und outete sich als Manfrieda.

Oma wollte uns einen der kleinen Vögel schenken. Wegen der Verantwortung. Anton und ich sagten aber einstimmig, wir hätten genug von Haustieren.

Anton war zwölf. Ich war vierzehn. Anton kaufte sich kurz darauf eine Gitarre und experimentiert seither nur noch mit Musik. Ich dagegen begann mich für Jungs zu interessieren …

Das nächste Mal erzähle ich wieder von Menschen.

Kathi meldet sich überhaupt nicht mehr, deswegen fahre ich mit Frieda in den Urlaub

Seit Kathi mit Hannes zusammen ist, meldet sie sich überhaupt nicht mehr. Und Hannes sich auch nicht. Ich hasse das, wenn Freunde sich verabschieden. Ich kann das nicht.

»Manno Scheiße!«, sage ich zu Paul.

»Was is denn?«, sagt er. Es klingt, als würde er alles mit O-Lauten sprechen. »Wos ös dönn?«

Ich verfalle augenblicklich in Kindchenhabitus. »Keiner hat mich mehr lieb!«, heule ich.

Paul seufzt und nimmt mich in den Arm. »Ich hab dich lieb«, sagt er.

»Ja«, sage ich und schmiege mich an ihn. Dann schiebe ich ihn weg und heule: »Aber das ist nicht dasselbe!«

Es macht einen Unterschied, ob man von einem Liebhaber verlassen wird oder von seinen besten Freunden. Das ist wie Familie. Das ist ein Teil von einem selber. Ein Liebhaber reißt dir vielleicht das Herz aus dem Leib, wenn er geht; Freunde aber, die gehen dir an die Nieren, an die Leber, die Entgiftungsorgane. Du stirbst vielleicht langsamer, aber dafür noch grausamer.

Paul räuspert sich. »Aber Spätzchen«, sagt er, »vielleicht stirbst du ja gar nicht. Es könnte ja immerhin sein, dass Kathi und Hannes dir gar nicht die Freundschaft gekündigt haben, sondern einfach nur verliebt sind.«

»Das ist doch ganz gleich!«, heule ich. »In jedem Fall wird nichts mehr sein wie früher!«

»Aber du hast doch noch Frieda!«, sagt er.

»Ja«, sage ich. »Ich hab noch Frieda.«

Zwei Wochen später fahren Frieda und ich zusammen in den Urlaub.

Berlin Südkreuz, wir sitzen im Zug. In der Sonne auf dem Bahnsteig steht ein pinkfarbener Kinderwagen. Eine kleine rosafarbene Marzipanhand guckt hervor, sie hält ein fliederfarbenes Taschentuch fest. Es flattert im Wind.

»Gleich fliegt das Tuch weg«, sage ich.

Mutter und Oma stehen dabei und gucken woanders hin.

Weiter links tritt ein Teenagermädchen ins Licht. Die Haare golden, die Bluse weiß und schulterfrei, darunter Stonewashed-Jeans und neonfarbene Turnschuhe. *Game of Thrones* meets *Prinz von Bel Air*, denke ich. Sie schließt die Augen und hält das Gesicht in die Sonne.

Rechts oben schiebt sich ein Unterleib ins Bild. Sein Besitzer versprüht den Charme einer ausgebeulten Jogginghose. Er legt den ersten Gang ein und steuert auf die Prinzessin zu. Linke Hüfte, rechte Hüfte. Er hat Zeit. Die Hände sind tief in den Hosentaschen. Er parkt an der Bahnsteigkante neben dem Mädchen. Umständlich! Vor, zurück, ruckel, ruckel.

Die Prinzessin öffnet die Augen.

»Maaaann, Alter«, murmele ich hinter der Glasscheibe, »lass dit Mädel in Ruhe!«

Der Trottel beugt sich nach vorn, als würde er nach der Bahn Ausschau halten.

»Die Züge kommen aus der anderen Richtung!«, rufe ich leise. »Vollidiot!«

Er dreht den Kopf, tut, als hätte er jetzt erst das Mädchen entdeckt, und schiebt sich seitlich an sie heran.

»Das ist bestimmt die schlechteste Anmache, die ich je in meinem Leben gesehen habe«, murmele ich.

Der Mann sagt etwas.

»Hallo!«, synchronisiert Frieda, die jetzt auch zuguckt.

Das Mädchen guckt weg und steckt sich Kopfhörer ins Ohr. Der Mann sagt noch etwas.

»Wir ham aber auch Glück mit dem Wetter!«, sagt Frieda. Das sagt ihre Mutter immer, wenn es nichts zu sagen gibt.

Die Prinzessin schaut sehr interessiert auf ihr Telefon.

Plötzlich weht etwas Fliederfarbenes über den Bahnsteig. Das Marzipanbaby hat sein Taschentuch losgelassen.

Die Prinzessin guckt hin, der Jogginghosenmann greift zu. Und fängt das Taschentuch. Aus der Luft!

»Oh!«, sage ich.

»Cool«, sagt Frieda.

Der Mann zögert kurz, dann reicht er das Tuch mit einer leichten Verbeugung dem Mädchen. Die Prinzessin lacht. Unser Zug fährt an.

»Siehste«, sage ich. »Auch in einer ausgebeulten Jogginghose kann bisweilen ein Ritter drinstecken.«

Düsterförde

Der Herbst ist da, die Welt ist bunt, wir gehen in die Pilze. Frieda und ich machen Urlaub in der Feldberger Seenlandschaft. Da gibt es nämlich genau das, was der Name verspricht: Felder, Berge, Seen und Landschaft. Das ist so schön, dass man manchmal denkt, die hätten da was mit Photoshop gemacht. Dabei war es nur irgendeine Eiszeit.

»Feldberg!«, hat meine Mutter gerufen, als ich ihr von unseren Plänen erzählte. »Da biste als Kind schon in den See gefallen!«

Das hat nichts zu sagen. Ich bin als Kind in wirklich jeden See gefallen, der mir vor die Füße kam. »Gleich fällt se rein«, sagte meine Mutter immer, und mein Vater nickte und zog sich schon mal den Pullover aus. Dann machte es *Platsch!*, ich schrie, wurde aus dem Wasser gezogen, in Papas trockenen Pullover gesteckt und nach Hause gebracht.

Feldberg liegt in der Nähe von Neustrelitz. Und bei Neustrelitz in der Nähe ist Düsterförde. Da sind wir immer aus dem Zug gestiegen, als ich klein war. Düsterförde bestand, glaube ich, nur aus dem Bahnhof. In dem Bahnhof drin war eine Kneipe, und in der Kneipe saßen lauter traurige Gestalten.

»Warum sind die denn so traurig?«, fragte ich.

»Die haben den Zug verpasst«, sagte meine Mutter.

»Können sie nicht den nächsten nehmen?«, fragte ich.

»Nein, Schätzchen«, sagte meine Mutter, »deren letzter Zug ist lange abgefahren.«

Frieda wollte eigentlich mit mir Boot fahren in Feldberg, aber ich kann noch immer nicht besonders gut schwimmen und wollte lieber Fahrrad fahren. Und weil ich mit Rücktritt nicht den Berg hochkomme und beim Mountainbike nicht über die Stange, meinte der Fahrradverleiher: »Nehm' Se doch'n Elektrofahrrad!«

»Elektrofahrrad!?«, sagte ich. »Das ist doch was für kleine dicke Omis mit kaputter Hüfte. So 'n bisschen bewegen wollt ich mich ja auch!«

»Sie müssen's ja nich anschalten …«, sagte der Fahrradverleiher.

Den Rest der Woche strampelte Frieda irgendwelche Schotterpisten mit Vierzehn-Prozent-Steigung hoch und keuchte »Scheiß Eiszeit!«, während ich nur auf einen Knopf drückte, lachend an ihr vorbeiraste und schrie: »Guck doch mal, wie schön das ist!«

Manchmal fuhren wir auch durch Wälder. Dann mussten wir absteigen und schieben. Das war nicht schön! Elektroräder sind nämlich scheiße schwer und definitiv nicht zum Schieben gedacht. Aber Pilze haben wir gefunden. Fliegenpilze und Knollenblätterpilze, jede Menge Baumpilze und so beigefarbene mit Halskrause, die so giftig aussahen, dass es uns schon vom Hingucken gruselte.

»Mir sind Pilze suspekt«, sagt Frieda gerade, »weder Tier noch Pflanze, siedeln auf verwesendem Untergrund

und dann dieses narzisstische Verhalten: ›Such mich, such mich, ich bin ein Pilz!‹ Ich bevorzuge Kürbisse. Die wachsen in jedem Garten, sind nahrhaft, ergiebig, nicht giftig und außerdem leicht zu finden, weil sie sich so schön von der Umgebung abheben.«

Wir stehen an einem Aussichtspunkt. Der See ist smaragdgrün, golden leuchtet der Buchenwald.

In der Bahnhofskneipe von Düsterförde stand in geschwungenen Lettern ein Spruch an der Wand, den werde ich in meinem ganzen Leben nicht mehr vergessen: »Schön ist es auf der ganzen Erde, / doch am schönsten ist's in Düsterförde.«

Sauber und glücklich

Im Rossmann in der Schönhauser Allee trägt ein kleiner Junge einen Kinderklositz zur Kasse. Der Klositz ist grün. Der Junge heißt Jakob und ist fast vier.

»Ich heiße Jakob, und ich bin fast vier!«, sagt Jakob zu einer alten Dame in der Kassenschlange.

»Donnerwetter!«, sagt die Dame.

»Jakob«, sagt Jakobs Mutter.

Ich liebe Drogeriemärkte. Kaum eine Tätigkeit wirkt so beruhigend auf meine gereizten Großstadtnerven wie das Lustwandeln zwischen Shampooflaschen, Kloreinigern und Müsliriegeln. Drogeriemärkte sind die Verheißung einer perfekten Welt. Einer Welt, die nicht nur sauber ist, sondern rein. Allein der Akt des Einkaufens ist das Versprechen auf die gute Tat: *Schönheits*-Maske, *Glücks*-Tee, *Alles-Reiniger*! Als hässliche alte Versagerin betrete ich den Laden, als junge erfolgreiche Schönheit komm ich wieder raus.

Meine Freundin Frieda hat erzählt, sie hätte neulich mal wieder ihre Wohnung geputzt. Normalerweise macht das Friedas Freund, aber der ist seit zwei Wochen auf Dienstreise und kommt in einer Woche wieder, deswegen muss sie jetzt selber ran. Reinigungsmittel im Wert von 150 Euro hat sie gefunden beim Saubermachen, sagt Frieda. Von Öko-Zitrone bis Chemiekeule ist alles dabei.

»So viele Partys kann ich gar nicht feiern, dass ich die aufbrauche«, sagt Frieda, »vor allem nicht in einer Woche.«

»Kommt drauf an, wen du einlädst«, sage ich.

Eigentlich wollte ich nur ganz schnell eine Packung Earl-Grey-Tee kaufen. Jetzt stehe ich in der Schlange an der Kasse und packe Waren im Wert von vierzig Euro aufs Band. Lidschattenstifte in Farben, die mir nicht stehen, eine Haarkur, die ich nicht vertrage, einen Funkwecker, den ich nicht brauche, und Apfel-Mango-Mus, das mir nicht schmeckt. Und trotzdem bin ich glücklich!

Jakob ist auch glücklich. Laut ächzend hievt er seinen Klositz aufs Band und hopst vor Freude.

»Nich so laut, Jakob«, sagt Jakobs Mutter.

Beschwingten Schrittes trage ich den ganzen Quatsch nach Hause. Jetzt erst mal 'n schönen Tee!, denke ich.

Dann schlag ich mir mit der flachen Hand vor die Stirn. »Den Earl Grey hab ich vergessen!«

Anner Tanke

Abends trinke ich jetzt immer Rotwein. Erstens passt es zu meinem Image als verruchte Künstlerin, und zweitens ist es gut zum Runterkommen. Von Weißwein werd ich so kribbelig, Bier macht blöde, Schnaps mag ich nicht. Bleibt nur Rotwein. Nichttrinken ist ja auch keine Alternative.

Letzte Nacht, drei Uhr früh sitze ich immer noch am Schreibtisch. Nichts als Kräutertee ist durch meine Kehle geflossen. Der nächste tote Punkt ist in meilenweiter Ferne. Jetzt ein Glas Rotwein und dann ins Bett, denke ich und gehe in die Küche. Ist ja noch 'ne volle Flasche da.

Eine halbe Stunde später stehe ich an der Tankstelle und zeige der Verkäuferin meine geschundenen Hände.

»Der ging einfach nicht raus«, sage ich, »ich hab es mit drei verschiedenen Korkenziehern versucht, aber das Mistvieh hat sich keinen Millimeter gerührt!«

Die Verkäuferin nickt mitleidig.

Ich war echt kurz davor, den Flaschenhals abzuschlagen. Konnte ja schlecht meinen Freund wecken, mitten in der Nacht: »Schatz, mach mir ma die Pulle auf!« Und Nichttrinken war erst recht keine Alternative. Nicht, nachdem das Glas Rotwein zum Einschlafen einmal beschlossene Sache war. Ich lasse mir doch von so einem verfickten Korken nicht vorschreiben, wann ich ins Bett zu gehen habe! Außerdem hatte mich die ganze Sache mittlerweile so aufgebracht, dass ich wirklich was zum Runterkommen brauchte. Man könnte auch Baldrian schlucken, zugegeben, aber den gibt es nun mal nicht an der Tanke, was soll ich machen?

»Geben Sie mir irgendwas unter zehn Euro mit Schraubverschluss«, sage ich zu der Verkäuferin.

Sie kommt mit einer Flasche zurück, deren Etikett schon total nach Vorschlaghammer aussieht. Goldene Schnörkel auf schwarzem Grund verbildlichen die Pirouetten, die der Stoff im Hirn dreht, bevor das Blackout kommt. Den Rest hab ich vergessen.

Tierische Eiweiße

Frieda ist zum Frühstück da. Seit Kathi und Hannes ins romantische Wolkenhimmelreich der Dauerkopulation abgehoben sind, sehen Frieda und ich uns wieder öfter. Allerdings nur vormittags, wenn sie im Krankenhaus Spätdienst hat und ihr Freund auf Arbeit ist.

»Machst du schonma Kaffee?«, rufe ich aus dem Badezimmer.

»Hast du Sojamilch?«, fragt Frieda.

»Ick habe allet«, sage ich. Ich habe schließlich auch fast jede Krankheit. Skoliose, Laktose, Heuschnupfen.

»Für mich aber lieber laktosefreie Milch«, rufe ich in die Küche. »Soja schmeckt nich im Kaffee. Die klumpt immer so.«

»Ja, trotzdem«, sagt Frieda, »ich will jetzt auf tierische Eiweiße achten. Wegen meiner Haut.« Frieda hat nämlich auch ein hübsches Sortiment an Krankheiten vorzuweisen. Neurodermitis zum Beispiel.

»Isst du jetzt vegan?«, frage ich und gucke ratlos in unseren Kühlschrank. Ziegenkäse, Schafskäse, Gummikäse (das ist das geschmacklose Zeug, das Paul immer bei Aldi kauft), Räucherschinken. Ganz hinten steht immer noch das ungeöffnete Glas Rosenmarmelade, das Kathi mir vor zwei Jahren zum Geburtstag geschenkt hat. Wir hatten gewettet, ob man Blumen aufs Brot schmieren kann.

»Isst du jetzt vegan?«, frage ich Frieda. Es würde ihr ähnlich sehen, sie hat ein Faible für Selbstoptimierungstrends. Sobald Frieda ein Problem hat, geht sie in die nächste Buchhandlung und kauft sich einen Ratgeber: *Chefsein für Schwächlinge, Intimfrisuren neu gefönt, Glücklich mit Gluten,* die Liga. Friedas Vorsätze halten selten länger als eine Woche. Jetzt also Veganismus.

»Na ja, ich versuch's«, sagt Frieda.

»Wie lange machst du das schon?«, frage ich und stelle die Marmelade neben die Butter. Butter! Ach herrje!

»Eigentlich seit drei Tagen«, sagt Frieda.

»Wieso eigentlich?«, frage ich.

»Ähm. Na ja«, sagt sie. »Weil. Gestern hab ich fünf Eier gegessen.«

Ich unterbreche das Tischdecken. Es gibt sowieso nichts Veganes außer trocken Brot, das ich noch hinstellen könnte.

»Du hast was?«, sage ich.

»Es war kein Brot da«, verteidigt sich Frieda, »und ich hatte keinen Bock, vor die Tür zu gehen, da hab ich mir Rührei gemacht zum Frühstück. Aus drei Eiern. Und weil ich abends nicht dasselbe noch mal essen wollte, gab's Eierkuchen. Aus zwei Eiern. Deswegen will ich jetz'n bisschen aufpassen mit tierischen Eiweißen.«

»Und was willst du jetzt essen?«, frage ich. Frieda geht zum Kühlschrank.

»Mhm«, sagt sie, »so 'ne Schinkenstulle wäre jetzt genau das Richtige.«

Ich liebe meine Freundin Frieda. Besonders für die Konsequenz, mit der sie jeden guten Vorsatz durchzieht.

»Was macht die Wohnung?«, frage ich.

»Och, gut«, sagt sie. »Die Wände sind mittlerweile alle gestrichen. Das Kinderzimmer ist auch eingerichtet.«

»Das WAS?«, frage ich.

Frieda guckt mich an. »Das Kinderzimmer. Glaubst du, ich will als alte Jungfer sterben?«

»Jungfer?! Du hast einen festen Freund! Du hast gerade mit ihm zusammen eine Wohnung gekauft. Du bist so wenig eine Jungfrau wie Madonna, als sie *Like a Virgin* gesungen hat«, rufe ich.

Frieda schmiert sich wütend ihre zweite Stulle. »Ich will endlich Kinder«, sagt sie. »Ich habe die Schnauze voll davon, dass ich die Letzte auf Station bin, die noch Nachtschichten und Wochenenddienste fährt, weil alle anderen in Mutterschutz oder Babyzeit sind!«

»Arme Frieda!«, sage ich und gucke zu, wie das Brot unter ihrer Messerattacke zerbröselt.

»Echt ma!«, murmelt sie. »Gestern war wieder ein Typ da, der seine Kinder abgegeben hat. Er hatte nicht mal ein T-Shirt an! Am Wochenende ist es besonders schlimm. Die Leute wollen feiern gehen und können sich keinen Babysitter leisten, da liefern sie die Gören kurzerhand im Krankenhaus ab.«

»Is nich wahr!«, sage ich.

»Doch!«, sagt Frieda. »Und ich krieg das immer nicht hin, denen die Meinung zu sagen.« Sie seufzt schwer. »Aus mir wird nie ein Doctor House.«

»Ach Frieda«, sage ich, »du bist eine tolle Ärztin. Und wenn das nächste Mal jemand halbnackt zu dir ins Krankenhaus kommt, dann sagst du einfach: ›Das hier ist ein Krankenhaus. Ziehen Sie sich bitte was über!‹ Gar nicht diskutieren. Einfach sagen und weggehen.«

»Das hier ist ein Krankenhaus«, murmelt Frieda.

»Ziehen Sie sich bitte was über!«, ergänze ich.

Frieda setzt sich gerade hin, entfaltet ihr schönstes Lächeln und sagt: »Das hier ist ein Krankenhaus. Würden Sie sich bitte was überziehen?«

»Nein!«, sage ich, schiebe meinen Teller beiseite und will dasselbe mit Friedas Teller tun. Wir machen jetzt Coaching für Frieda.

Da bildet sich eine Falte auf ihrer Stirn.

»Hey!«, ruft sie. »Ich bin noch nicht fertig!«

»Ja!«, rufe ich. »Genau so!«

»Was?«, fragt Frieda ärgerlich und zieht ihren Teller wieder zu sich heran.

»Genau so musst du mit den Leuten reden. Stell dir einfach vor, sie wollen dir dein Frühstück wegnehmen.«

»Oder meine Zigaretten«, ergänzt Frieda.

»Von mir aus«, sage ich.

»Liegt bei Paul eigentlich noch die Schachtel im Regal?«, fragt sie. Frieda hat vor Monaten schon Zigaretten bei uns deponiert. Damit ihr Freund nichts merkt. Auch deshalb besucht sie mich gerne.

Später gehe ich einkaufen. Frieda hat den ganzen Käse weggefuttert. Danach hatte sie auch gleich wieder bessere Laune. Diese ganzen Entsagungsphilosophien! Diese komischen Visionen von kathartischer Selbstreinigung! Entschlackung, wenn ich das schon höre! Das ist ein Körper, keine Toilette! Der muss nicht desinfiziert und gereinigt werden. Da sind die Bakterien lebenswichtig!

Ich gehe in den Bioladen. Man kann ja über die Gentrifizierung sagen, was man will, aber sie hat uns gutes Essen gebracht. Bei uns um die Ecke gibt es einen Bioladen, da kauf ich immer Brot und Käse. Darfste halt nicht zwischen 16 und 17 Uhr hingehen. Da machen die Kitas zu und die Schlange im Laden ist endlos, weil Anna-Sophie-Charlotte und Caspar-David-Friedrich jeden Dinkelkeks selber bezahlen wollen und ansonsten Wutanfälle kriegen. Ich gehe ja meistens gegen eins einkaufen. Direkt nach dem Aufstehen also. Das ist entspannt. Da sind die Assis unter sich.

Vorgestern früh steh ich im Laden und überlege schlaftrunken, welchen Käse ich kaufen soll. Die beiden netten Verkäuferinnen sind im Laden. Die junge fixe und die kleene ältere mit der Brille. Da höre ich, wie die junge fixe dem Mann vor mir erzählt, sie solle jetzt nicht mehr berlinern.

»WATT?«, mische ich mich ein.

»Ja«, sagt die Verkäuferin, »hat die Chefin jesacht. Wejen der Kunden.«

Schlagartig bin ich hellwach. Die dicke Ader an meinem Hals beginnt zu pochen. »So 'n Blödsinn!«, schnaube ich. »Weil die janzen reichen Leute nich dran erinnert werden sollen, wo se hier sind, oder watt?«

»Keene Ahnung!« Die Verkäuferin zuckt die Achseln. »Jedenfalls muss ich jetzt immer ganz langsam sprechen, weil ich mich so konzentrieren muss, Hochdeutsch zu sprechen.«

Wir müssen sehr lachen.

»Der Witz is«, sagt die nette ältere Verkäuferin von der Käsetheke her, »in der Zeit, wo se jetz een Satz sacht, hat se vorher drei Kunden bedient.«

Is doch bescheuert, denke ich, als ich nach Hause komme. Scheiß Gentrifizierung! Aber die Käsestulle schmeckt echt gut.

Perlen vor die Küste

Ist irgendjemand in der Lage, sich das Ausmaß der Seelenqualen vorzustellen, die es für eine Schriftstellerin bedeutet, wenn sie fünf Stunden Zugfahrt vor sich hat und ihr Laptop kaputt ist? Nein? Dachte ich mir.

Mit einem Füller auf Papier schreibe ich diese Zeilen. Eine halbe Seite habe ich schon. Fühle mich wie Thomas Mann beim Verfassen des *Zauberbergs*. Twitter geht auch nicht. Dabei fallen mir gerade so viele dumme Witze ein. Zum Beispiel der: Anderes Wort für Brandenburg? – Funkloch.

»Ich bin nicht kreativ, das is nur Notwehr«, hat Funny van Dannen mal gesungen. Ich glaube nicht, dass man besser mit der Hand schreibt. Nur langweiliger. Autistischer. Wie unfassbar lang es allein dauert, ein Wort wie »langweiliger« hinzuschreiben. Die halbe Zeile ist voll. Gut, der Block, auf dem ich schreibe, ist A5, aber trotzdem.

Ich hatte schon immer eine Sauklaue. »Danke für die Karte«, hat meine Großmutter immer gesagt. »Kannste mir ja bei Jelejenheit ma vorlesen, watt drinsteht. Kann ja kein Mensch lesen, die Schreibe.«

Ich fahre übrigens nach Sylt. Meine Freundin Luise

ist da hingezogen und verlangt, besucht zu werden, eh sie sich vor Heimweh in die Nordsee stürzt. Sie hat dort eine Assistentenstelle im Heimatmuseum angetreten, nachdem sie sieben Jahre studiert und drei Jahre promoviert hat, was sie verheimlichen musste, sonst wäre sie für die Stelle überqualifiziert und unbezahlbar gewesen. Außerdem hat sie eine entzückende kleine Tochter, das Ergebnis eines Abschiedsficks mit einer Exaffäre, als der Typ gerade im Begriff war, mit seiner Freundin zusammenzuziehen. Alles Kacke, deine Luise, sozusagen.

Im Nebenwagen sitzt ein Männerverein. Sie tragen karierte Hemden und haben eine Kiste Bier dabei. Ich habe ja meine eigene Theorie, was Alkohol trinkende Menschen in öffentlichen Verkehrsmitteln angeht. Ich glaube, das sind alles Autofahrer. Die sind so glücklich, dass sie nicht selbst am Steuer sitzen … Nee. Anders. Die einzigen Gelegenheiten, bei denen sie nicht selbst am Steuer saßen, aber trotzdem fuhren, waren die Samstagabende, wenn sie sich zu sechst in Erwins Fiat Uno klemmten, um ins Nachbardorf zum Feuerwehrfest zu fahren. Es ist wie ein Reflex: gefahren werden gleich saufen. So wie ich mir als Teenager auch noch die langweiligsten Spätfilme im Fernsehen reingezogen habe, wenn Mutti und Vati nicht da waren. Einfach, weil ich es konnte. Arme Karohemdenträger! Wahrscheinlich mögen sie gar kein Bier.

Zwei Stunden später. Ich habe sie gefragt. Den einen Karohemdenträger hab ich gefragt, warum sie alle Karohemden tragen.

»Wir kommen vom Dorf«, hat er gesagt. »Bauern tragen gerne Karos.« Außerdem hat er mir erzählt, dass auf Sylt gerade Surf-WM ist.

»Da is da rischdisch Party unten am Strand«, hat er gesagt, »das is auch nich so assi wie Ballermann oder Oktoberfest.«

Ich mache große Augen.

»Da kotzense untern Tisch beim Oktoberfest«, sagt er, »auf Sylt is das ganz anders.«

Da kotzen se in die Nordsee, denke ich. Mir schwant Schreckliches.

Drei Tage später. Ich bin auf dem Rückweg. Einen, also meinen, Computer habe ich immer noch nicht. Mittlerweile habe ich mich an den Füller gewöhnt.

Diesmal sitzt eine Frauengruppe mit im Wagen. Sie haben die Weingläser gleich in Westerland auf den Tisch gestellt. Richtige Gläser. Aus richtigem Glas. »Aber den Alkohol gib's erst ab Hamburch«, sagt eine große Dicke.

Sylt ist auch groß. Etwa zehnmal so groß wie Hiddensee. Und zwar in allen Details: Strandbreite, Strandlänge, Dünenhöhe, Menschenmenge, Durchschnittsalter, Durchschnittseinkommen. Alles mal zehn. Ein Burger zum Mitnehmen kostet zehn Euro. Wir haben selber gekocht.

Von dieser Surf-WM haben wir wenig mitbekommen. Es war nämlich kein Wind.

»Das gib's gar nich!«, hat Luise gerufen. »Normalerweise kann man hier vor Wind kaum stehen. Und so 'n Hungerhaken wie du fliegt weg, wenn er nur die Jacke aufmacht.«

Die Surfer saßen traurig im Sand und guckten aufs Meer.

Die Biertrinker aus dem Zug tranken ihr Bier in vollen Zügen. Für sie machte es keinen Unterschied, ob Wind war oder nicht. Von der Partymeile auf der Strandpromenade konnte man das Meer sowieso nicht sehen. Der Blick war verstellt durch Bier- und Fress- und Shoppingbuden. Luxusstrandkörbe kannste dort kaufen, die so viel kosten wie ein Auto; oder Autos, die so viel kosten wie ein Haus; oder Häuser, die so viel kosten wie ganz Hiddensee. Die Perle der Ostsee ist ein Möwenschiss gegen die Perle der Nordsee.

Die Möwen sind übrigens auch groß wie Gänse. Luise hat erzählt, an dem Tag ihres Vorstellungsgesprächs im Frühling dieses Jahres, da ist sie nachher zum Strand gegangen, um sich die Nordsee anzugucken.

»Und dann hat mich so'n Vieh angegriffen«, sagte sie, »mit den Krallen zuerst auf mich los. In die Haare. Wie bei Hitchcock.«

Mich schauderte. Wir saßen am Strand, als sie mir das erzählte, in einem Strandkorb mit blauen und weißen Streifen, und aßen Nüsse aus einer blauen Plastikdose, die wir mitgebracht hatten. Zehn Kilometer Fahrradtour lagen hinter uns, vor uns lag das Meer. Eine Möwe guckte uns zu. »Ksch, ksch«, machte ich.

Die Tinte ist alle. Ich muss die Patrone wechseln. Also Füller aufschrauben, leere Patrone vorne raus, volle hinten und andersrum wieder rein, zuschrauben, fertig. Gleich intoniere ich *Der kleine Trompeter*, so jung fühle ich mich grade.

Personalwechsel in Hamburg Hauptbahnhof. Die Frauengruppe wird langsam lustig. Wir stehen hier auch schon zwanzig Minuten. Sie trinken übrigens kein Bier wie die Männer neulich, sondern Weißwein, so viel Klischee muss sein. Der Rentnerverein im RE Richtung Stralsund neulich, der hatte Sekt dabei und Partyplastegläser. Das ist der Unterschied zwischen Nord- und Ostsee. Glas versus Plaste.

Aua.

Aua.

Aua.

Aua.

Aua.

Aua.

Aua.

Schreibkrampf.

Lesepause.

Zwei Stunden später. »Meine Damen und Herren, in wenigen Minuten erreichen wir Berlin Hauptbahnhof. Sie werden alle vorgesehenen Anschlusszüge erreichen.«

Halleluja!

Zu Hause.

Blumenliebe

Meine Mutter hat es schon immer gewusst: »Kind!«, hat sie gesagt. »Warte, bis du dreißig bist, dann interessierst du dich auch für Blumen.« Natürlich hat sie recht behalten. Ich meine, sie ist meine Mutter, Mütter haben immer recht. Das ist vertraglich auf der Geburtsurkunde so festgelegt.

Seit fünf Jahren habe ich eine Affäre mit meinem Balkon. Jedes Jahr Ende September explodiert er in einer Blütenpracht, die ist schon fast unanständig. Groß und schwer hängen die Köpfe der Sonnenblumen. Ich muss sie festbinden, damit sie nicht umknicken. Sogar der Hibiskus hatte sich dazu herabgelassen, fünf feuerrote Blüten zu entfalten.

Meine Mutter hat früher jahrelang erfolglos versucht, einen Hibiskus großzuziehen. Mit Liebe und Gießen und Gut-Zureden ohne Ende. Bestimmt hat sie ihm auch heimlich Gedichte vorgelesen: *Sah ein Knab ein Röslein stehn.*

Und dann fuhren wir in den Urlaub nach Griechenland. Da wuchs der Hibiskus büschweise. Auf der Autobahn. Auf dem Mittelstreifen.

»Hier!«, rief meine Mutter, als wir wieder zu Hause

waren, und wedelte mit den Urlaubsfotos vor dem Blumentopf rum. »Guck dir das an! Sooo sollst du wachsen, du undankbare Kreatur!«

»Blüht er jetzt eigentlich?«, frage ich neulich am Telefon.

»Wer?«, fragt Mama.

»Na, dein Hibiskus«, sage ich.

»Ja!«, sagt Mama. »Wie bescheuert. Und weißte wieso? Düngen musste. Ditt is ditt Einzje, watt hilft. Von wegen Liebe, Wasser, Sonnenlicht. Chemie muss rauf! Oder Hormone.«

»Hormone?«, wiederhole ich ungläubig.

»Ja!«, sagt meine Mutter. »Tante Erna hat doch früher immer ihre Anti-Baby-Pillen in die Blumentöpfe gesteckt.«

Pause.

»Du, Mama?«

»Ja, mein Kind?«

»Du, Mama, weißt du, gerade war es so, als ob ich gedacht hätte, du hättest gesagt, dass Tante Erna früher immer ihre Anti-Baby-Pillen in die Blumentöpfe gesteckt hätte.«

»Ja!«, sagt meine Mutter. »Wir hatten doch nüscht im Osten. Nich ma Blumendünger. Ich hab das damals auch probiert, hat aber nicht geholfen.«

Ich denke nach.

»Du, Mama?«

»Ja, mein Kind?«

»Willst du mir jetzt damit sagen, dass meine Cousins und ich nur zufällige Ableger eurer Blumenliebe sind?«

Das hätte ich echt nicht gedacht, dass ich in meinem

Alter noch mal die Geschichte mit den Bienen und den Blumen erzählt kriege. Und vor allem nicht, welche Rolle die Blumen dabei spielen!

Mächtige Schädel

Lenin ist wieder da. Zumindest sein Schädel aus Granit.

Ich weiß noch, wie die Leninstatue geschliffen wurde im November 1991. Es war der Tag nach der Geburtstagsfete meiner Mutter. Sie war damals kaum älter, als ich heute bin.

Die Feten meiner Eltern waren legendär. Es wurde geraucht, bis man vom einen Ende des Flurs nicht mehr zur Küchentür am anderen Ende gucken konnte. Manchmal lagen noch Schnapsleichen im Flur rum, wenn ich am nächsten Morgen nach Hause kam. Ich schlief dann immer bei Oma. Heute raucht keiner mehr, meine Oma ist tot, und gesoffen wird auch nicht mehr ordentlich.

Am Sonntag nach der Party machten wir mit den Geburtstagsgästen, die aus dem Westen angereist waren, einen Ausnüchterungsspaziergang durch den nebligen Friedrichshain zum Platz der Vereinten Nationen, der damals noch Leninplatz hieß. Das Monument war eingezäunt, nasse Transparente klatschten gegen die Gitter. Es gibt ein Foto von uns davor, aber meine Mutter weiß nicht mehr, in welcher Kiste.

Es war Mamas dritter Geburtstag hintereinander, der von irgendwelchen historischen Ereignissen begleitet wurde. Es wurde schon langsam langweilig.

Ich bin mit meiner Freundin Tania einen trinken. Wir reden über Bücher, Männer und die Geflüchteten. Tania kann das Wort Flüchtlinge nicht leiden.

»Es verkleinert die Menschen«, sagt sie, »nimmt ihnen die Würde.«

Tania war damals sechs, als sie 1987 mit ihren Eltern in Deutschland ankam. Das erste Jahr in Deutschland ist aus ihrem Gedächtnis gelöscht.

»Wird schon seine Gründe haben«, sagt Tania. Dabei ist die Familie nicht mal geflüchtet. Sie gehört zu den sogenannten Spätaussiedlern.

»Spätis«, sagt Tania. »In Kasachstan waren wir die Nazis«, erzählt sie, »hier aufm Dorf in Baden-Württemberg waren wir die Russen.« Sie weiß noch, wie gruselig das war, zu sehen, wie die Leute ihre Münder bewegten, ohne dass die Laute, die sie machten, einen Sinn ergaben. Tanias Mutter hat mal erzählt, das erste Jahr habe das Kind im Kindergarten nur unterm Tisch gesessen. Aus Angst vor den anderen Kindern. Aber Tania lernte schnell und passte sich an. Bald wusste keiner mehr, dass ihre Eltern nicht nur deutsch sprachen. Einmal rief eine Schulfreundin bei ihr an. Am nächsten Tag empörte sich das Mädchen vor versammelter Klasse, warum bei Tania zu Hause die Putzfrau ans Telefon ging. »Das war nicht die Putzfrau«, sagt Tania, »das war meine Mutter.«

Als sie zwanzig Jahre alt war, ging Tania zum Studium nach Braunschweig. Dort traf sie zum ersten Mal jemanden, der auch Migrationshintergrund hatte. Nach über zehn Jahren! Özlem studierte Germanistik wie sie.

Tania ist in ihrer ganzen Familie die Einzige mit Hochschulabschluss. Ihre Mutter ist Friseurin. Ihr Vater Taxifahrer.

»Du Bildungsbürgerkind wirst doch immer aufgefangen, wenn was passiert«, hat sie mal zu mir gesagt, da hatten wir uns gestritten, warum sie sich nicht als Lektorin selbständig machte, statt als unterbezahlte Tippse in einem drittklassigen Büro zu arbeiten. »Ich muss mich selber absichern.«

Heute lebt Tania in Berlin. Ihre Eltern haben auf dem Dorf in Baden-Württemberg ein Haus gebaut. Über die Jahre sind andere russlanddeutsche Familien nachgekommen. Sie bleiben unter sich. Ein Cousin von ihr hat sich jetzt ein junges Mädchen zum Heiraten aus Russland geholt. Vorher hatte er jahrelang alles gevögelt, was nicht wegflog.

Tania hat sich jetzt bei der Flüchtlingshilfe gemeldet. »Ich will Deutschunterricht geben«, sagt sie. Aber sie brauchen grad niemanden.

Ob ihr was zu Lenin einfalle, frage ich sie. Ich muss morgen Kolumne schreiben.

»Ja!«, sagt Tania und erzählt: »Ich war ganz klein, höchstens fünf Jahre alt. Meine beste Freundin Olga und ich saßen bei uns im Dorf in Kasachstan auf einer Mauer und diskutierten, wer wichtiger sei, Lenin oder Gott. Im Kindergarten sagten sie immer: ›Sei artig! Lenin sieht, wenn du nicht artig bist!‹, und wenn wir nach Hause kamen, sagten die Eltern: ›Nee, nee, nicht Lenin, Gott sieht alles!‹ Es war so verwirrend. Olga und ich überlegten.

Und dann wusste ich die Lösung! ›Olga, ich hab's‹, sagte ich zu Olga, ›Lenin ist berühmter. Und weißt du, warum? Von Lenin hängen überall Bilder rum, und von Gott kein einziges. Jemand, von dem sich niemand ein Bild hinhängt, der kann nicht so mächtig sein.‹«

Bestechende Logik, denke ich.

Tania geht eine Kippe schnorren. Wir nehmen noch einen Wodka. Damit wir morgen auch Granitschädel haben. So groß und mächtig wie der von Lenin.

Mit Käse überbacken

Paul und ich sind zu einem Geburtstagsbrunch eingeladen. Ich bin ja nicht gut darin, morgens vor dem Aufstehen vor die Tür zu gehen. Also vor dem Frühstück. Da bin ich nämlich nur ein halber Mensch. Ich kann nicht sprechen, mich nicht ordentlich bewegen und keinen klaren Gedanken fassen. Von meiner äußeren Erscheinung gar nicht zu reden. Demzufolge ist »vor dem Frühstück« bei mir gleichbedeutend mit »vor dem Aufstehen«.

Das Problem ist nun, dass dieser Anglizismus einer Mahlzeit zwischen Frühstück und Mittagessen immer so früh stattfindet, dass man unmöglich schon was Ordentliches gegessen haben kann.

»H...CH!«, mache ich, als ich aus dem Haus stolpere. Fast wäre ich hingefallen!

»Siehste!«, sage ich zu Paul. »Genau deshalb gehe ich morgens nicht vor dem Aufstehen aus dem Haus.«

»Mhm«, macht Paul und hakt mich unter, als würde er mich festnehmen und abführen. Der Morgen ist der Montag unter den Tageszeiten. Während ich mich in dieser verletzlichsten Phase des Tages einfach als weinerlicher Waschlappen oute, ist mein Freund ein echter Kotzbrocken.

Das Aufwachen läuft bei ihm in drei Phasen: Solange er im Bett liegt, ist er so süß, niedlich und verkuschelt wie ein rosafarbenes Einhornplüschtier mit Glitzer obendrauf. Sobald er sich aber in die Senkrechte begibt, wird er zu einer Art Verkörperung der Passion Christi und trägt ein Gesicht vor sich her, als hätte er sehr schwere Zahnschmerzen und müsste trotzdem die Flüchtlingskrise, die Griechenlandkrise und die Berliner Flughafenkrise auf einmal lösen. Ganz allein. Vor dem Frühstück. In dieser Phase ist er jetzt grade.

»Aua, du tust mir weh«, maule ich.

»'tschuldigung«, sagt er und lockert seinen Polizeigriff. »Ich will nur nicht, dass du hinfällst.«

Mein Liebling, denke ich, da fügt er hinzu: »Sonst dauert es noch länger, bis ich was zu essen kriege.«

Als wir in dem Lokal ankommen, ringt Paul sich ein Lächeln ab und entschwindet zum Buffet, um sich Berge von paniertem Fleisch, Krabben im Teigmantel und Rührei auf den Teller zu schaufeln.

»Das Wichtigste beim Essen ist immer: möglichst wenig Ballaststoffe«, sage ich und gucke auf seinen Teller. »Vielleicht könntest du das noch mit Käse überbacken.«

Paul guckt auf meinen Teller: halbrohes Gemüse, Tomatensalat, Mozzarellabällchen. »Bloß weil du der linksalternativgrünen Lifestyle-Ideologie nacheiferst, die uns Kinder aus einfachem Hause an den Rand des Ruins ...«

Ich höre ihm nicht weiter zu. Das ist nämlich die dritte Phase seines Aufwachens. Er schimpft. Meistens befindet er sich zu diesem Zeitpunkt seiner morgendlichen Menschwerdung allein in seinem Zimmer und drischt verbal auf seinen Computer ein und auf den immer noch andauernden Niedergang der Sozialdemokratie.

Ich weiß schon, warum ich ihm normalerweise erst nach dem Kaffee gegenübertrete. Vorher ist er einfach nicht zu ertragen.

»Schätzchen«, sage ich, »soll ich dir einen Kaffee bestellen?«

»Na endlich«, brummt er, »ich dachte schon, du fragst nie!«

Paarbeziehungen sind eine großartige Sache. Es sei denn, man begegnet sich vor dem Frühstück.

Der Brief

Anfang November. Wir haben einen Brief bekommen. Er ist orange wie die untergehende Sonne und von innen gefüttert. Die Adresse auf dem Umschlag ist mit der Hand geschrieben.

Es gibt heutzutage eigentlich nur noch zwei Anlässe, Briefe mit der Hand zu schreiben: Hochzeit oder Todesfall. Letzteres kann hier angesichts der Farbe des Umschlags ausgeschlossen werden. Selbst der Tod meiner Hippie-Oma vor zehn Jahren wurde in gedeckteren Farben angezeigt.

Ich wende den Umschlag in den Fingern. Wer heiratet denn nun schon wieder? So langsam müssten doch wirklich alle durch sein! Eigentlich müssten wir bald zur ersten Scheidungsparty eingeladen werden.

Ich drehe den Umschlag um und erstarre.

»Paul!!!«, rufe ich. »Ach du Scheiße!«

Paul kommt aus seinem Zimmer gestürzt. Seinem Gesicht ist anzusehen, dass er davon ausgeht, dass etwas wirklich Schlimmes passiert ist. Wortlos halte ich ihm den Umschlag hin.

»Ach so«, sagt er und entspannt sich ein wenig. »Wer ist es diesmal?«

Ich gucke ihn an und sage nichts.

Er nimmt den Umschlag und dreht ihn um. Dann fängt er an zu lachen.

»Ach du Scheiße!«, sagt er und lacht. Lacht, bis er anfängt zu keuchen. Es gibt Hochzeitseinladungen, die erschüttern einen mehr als Todesanzeigen. Nämlich dann, wenn sie so unvermittelt und überraschend kommen wie diese.

Ich öffne den Umschlag.

»Paul!«, sage ich.

Er reißt sich zusammen und hält sich die Seite. Es ist eine Essenseinladung, Gott sei Dank!

Liebe Lea, lieber Paul,

wir möchten euch zum Essen einladen. Kommt nächsten Samstag zu mir in die Wohnung in der Winsstraße.

Küsse, Kathi

Hannes hat in seiner Krakelschrift »Bier!« daruntergeschrieben und ein <3 gemalt.

»Aber warum so förmlich?«, fragt Paul. »Sie hätte doch einfach eine SMS schicken können.«

Ich weiß es auch nicht.

»Vielleicht haben sie sich verlobt!«, sagt Paul und fängt schon wieder an zu lachen.

»Das ist nicht lustig!«, sage ich.

»Doch, total!«, kichert er.

Am Samstag drauf ist plötzlich Herbst, die hässliche Sorte. Bis jetzt war der Oktober noch golden. Nun ist alles grau.

Es ist eine allgemein anerkannte Tatsache, dass ich nichts zum Anziehen habe. Das wird bei Wetterumschwüngen nicht besser. Keines der Kleidungsstücke, die in Frage kommen, passt mit einem anderen zusammen, das halbwegs akzeptabel ist.

»Du siehst toll aus«, sagt Paul.

»Das ist nicht wahr«, sage ich.

Er seufzt schwer.

Ich weiß schon, dass es nicht sehr nach aufgeklärter, selbstbewusster, erwachsener Frau klingt, sich dermaßen über sein Äußeres zu definieren. Aber was soll ich machen? Wir leben in einer Zeit, in der neunzig Prozent aller Fotografien die Fotografierenden selbst abbilden. In der jeder Teenager auf der Welt seine eigene Schokoladenseite besser kennt als die Aufstellung der Nationalmannschaft und die aktuelle Chart-Liste.

Ich war zwanzig Jahre alt, als ich begriff, dass auch die coolsten Jungs zuerst auf Primärreize reagieren. Es war in dem Jahr in Hamburg. Mein erster Freund tauchte plötzlich wieder auf. Seinetwegen hatte ich damals mit dem Rauchen angefangen, drei Jahre vorher in Berlin auf dem Schulhof. Und nun war er in Hamburg und zog mit mir um die Häuser.

Wir standen auf dem U-Bahnhof Reeperbahn. Wir waren total scharf aufeinander, aber zu jung und zu verklemmt, um das zu formulieren. Vor uns an der gekachelten Wand über den Gleisen hing ein Unterwäsche-Werbeplakat: riesige Brüste, endlose Beine, Schlafzimmerblick. Sexistische Kackscheiße eben. Fleisch, in Spitze verpackt.

Ich selber wog zu dieser Zeit gerade mal einen Zentner, hatte das Fleisch an meinem Körper erfolgreich auf ein Minimum reduziert, Nahrung durch Zigaretten ersetzt. Und schließlich stand er doch jetzt hier vor mir, der Junge, der mich drei Jahre zuvor stehen lassen hatte, als ich mich so hässlich fühlte, er stand jetzt hier neben mir und bebte vor Verlangen. Und ich war dünn und unbesiegbar.

»Findest du das schön?«, fragte ich ihn, in einem Ton, der außer Frage stellt, dass die Frage nur eine Antwort erlaubt.

Wir waren die Coolen, das muss man wissen. Wir waren Punks und Hippies. Wir verachteten Markenarschlöcher genauso wie Neonazis. Unsere Kleidung stammte ausschließlich aus zweiter Hand. Winona Ryder in *Reality Bites* war die schönste Frau unserer Zeit. Ungewaschene Haare, schlabbrige Klamotten, Fastfood und Zigaretten, sie benahm sich wie ein Junge und sah aus wie ein niedliches kleines Kind. Jeder Junge, in den ich verliebt war, war in sie verliebt, ob der Junge nun real war oder fiktiv. (Das war egal. Die Jungen waren unerreichbar. Gleichgültig ob sie selbst ausgedacht waren oder nur ihre romantischen Gefühle zu mir.) Sie hatten sowieso alle nur Augen für Winona. Und Winona tat dafür scheinbar gar nichts. Weder flirtete sie, noch putzte sie sich heraus. Im Gegenteil. Sie strafte die süßesten Jungs mit Missachtung und Zurückweisung und machte ihr eigenes Ding.

Selbstbewusstsein war der heiße Scheiß. Aber wo sollte ich das hernehmen? Schön waren scheinbar nur die, denen ihr Aussehen egal war. Ein unauflösbarer Widerspruch. Und dann entdeckte ich meinen Weg zum Selbstbewusstsein. Wenn ich meinen Körper überwand, würde ich zu mir selbst werden. Zu Bewusstsein kommen. Die Magerkeit machte mich hart. Innen und außen. Es verstärkte die Konturen, vergrößerte die Augen und den Mund. Zwar verschwanden meine mühsam gezüchteten Brüste wieder. Aber was soll's? Wer braucht schon Brüste! Hier stand ich. In Hamburg. Unter der Reeperbahn. Neben dem Jungen, der mir das Herz gebrochen hatte. Er war nur für mich in diese Stadt gekommen, und er war scharf auf mich, hart und mager und selbstbewusst wie ich war.

»Findest du das schön?«, fragte ich, und er sagte: »Och. Na ja.«

Eine Welt brach zusammen. Es machte keinen Unterschied. Es war egal, woher wir kamen, welche Überzeugungen wir hatten. Ich war die Frau, er war der Mann. Ich war das Bild, er der Betrachter. Wir fuhren zu mir und schliefen miteinander und sahen uns nie wieder.

»Du siehst toll aus«, sagt Paul.

»Das ist nicht wahr«, sage ich.

Er seufzt.

Die Winsstraße glänzt vor Regennässe. Schummrige Laternen schmeißen ihr Licht auf den Asphalt. Es ist dasselbe Licht wie in meiner Kindheit. Zum 25. Jahrestag des Mauerfalls gab es im Internet irgendwo ein Foto von Berlin von oben. Man kann den Verlauf der Mauer bis heute nachvollziehen. Anhand der unterschiedlichen

Straßenbeleuchtung in Ost und West. Grell und durchdringend im Westen, schummrig und verschlagen im Osten.

Kathi und Hannes sehen aus wie junge Hunde. Dumm vor Glück. Kathi drückt mich an sich. Ich schmelze ein wenig.

»Was gibt's zu essen?«, fragt Paul.

Kathi sieht Hannes an.

Er legt seinen Arm um ihre Schultern und sagt: »Wir probieren was Veganes aus.« Dann küssen sie sich. Schmatzend. Mit Zunge.

Paul guckt mich an. Er hat die Augenbrauen hochgezogen.

Ich will nach Hause.

Der Rest des Abends gestaltete sich so, dass Paul und ich kochten, während Kathi und Hannes knutschend im Weg rumstanden. Die Konversation verlief äußerst schleppend. Es ist einfach schwierig, sich mit Leuten zu unterhalten, die die ganze Zeit fremde Zungen in ihren Mündern haben. Überall in der Wohnung lagen Labellos rum.

»Wir haben ständig wunde Lippen«, sagte Kathi.

»Vom vielen Küssen«, ergänzte Hannes.

Oh Gott, ist das schrecklich!, dachte ich. Sie *reden* schon, als ob sie verheiratet wären.

Warum wir so offiziell eingeladen worden waren, hatten wir bis dahin immer noch nicht erfahren.

Paul und ich saßen den beiden gegenüber am Tisch und schaufelten lustlos geschmacklose Speisen in uns hinein, während die beiden ihre Teller kaum anrührten und sich wenig Mühe gaben, zu verbergen, dass sie sich viel lieber gegenseitig auf den Tisch werfen und einander die Kleider vom Leib reißen würden.

Nicht mal von dem Wein tranken sie, den wir statt des Biers mitgebracht hatten. Paul und ich langten dafür umso kräftiger zu. Einfach um irgendwie mit den beiden auf ein wenigstens vergleichbares Euphoriclevel zu kommen.

»Hast du auch solche Lust, einen richtigen Beziehungsstreit vom Zaun zu brechen?«, raunte Paul mir beim Tischabräumen im Vorbeigehen zu. »Einfach nur, um diesem Geturtel was entgegenzusetzen.«

Ich liebte ihn in diesem Moment. Aber ich traute mich nicht, ihn zu küssen. Es wäre mir albern vorgekommen. Wir wollten hier schließlich keinen Wer-ist-das-verliebtere-Pärchen-Contest veranstalten. Deshalb nahm ich nur kurz seine Hand.

»Ah, guck dir die beiden an!«, flötete Hannes. Scheiße, sie hatten uns gesehen!

Arm in Arm kamen sie auf uns zu geschlendert, synchron in den Bewegungen wie siamesische Zwillinge. Wer waren die beiden, und was hatten sie mit meinen Freunden gemacht?

Und dann platzte die Bombe. »Wir müssen euch noch was sagen«, verkündete Kathi, nachdem wir uns sehr umständlich wieder an den Tisch gesetzt hatten. Mit einer Kanne Ingwertee!

»Sie heiraten doch!«, entfuhr es Paul.

»NEIN!!!«, bellten Kathi und Hannes wie aus einem Mund.

»Gott sei Dank!«, murmelte ich.

»Wir bekommen ein Baby!«, sagte Hannes.

Und dann fror die Welt ein. Alles um mich rum blieb stehen und fokussierte sich auf einen Punkt – Kathis Gesicht –, das vergrößert vor mir stand, während alles andere verschwamm. Als würde ich sie durch ein Brennglas betrachten. Ihre Augen leuchteten vor Glück, aber die Stirn war in Falten gelegt. Deswegen der ganze Aufriss. Deswegen der Brief. Deswegen wurde hier nicht gesoffen.

»Äh, herzlichen Glückwunsch!«, hörte ich Paul stottern.

Ich schaffte es zu nicken. »Ach du Kacke!«, murmelte ich. »Seid ihr sicher?!«

Sie waren sich sicher. Kathi musste gleich beim zweiten oder dritten Mal Vögeln schwanger geworden sein. Sie war jetzt schon im vierten Monat.

»Ich fasse es nicht«, murmelte ich. Dann brach der ganze Ärger aus mir raus, die ganze Eifersucht, alles.

»Wie blöd kann man eigentlich sein?«, rief ich. »Samma, wie alt seid ihr eigentlich? Kondome! Schon mal gehört?! Frieda macht seit einem Jahr nach jedem Fick einen Kopfstand, ohne dass irgend so ein lahmes Spermium sich in ihre Gebärmutter verirrt. Und ihr Idioten stürzt auf MEINER Geburtstagsparty ab und schwängert euch gegenseitig? Ich! Fasse! Es! Nicht!«

Ich war aufgestanden und lief laut schimpfend im Zimmer auf und ab. Drei Augenpaare folgten mir, das von Paul belustigt, die der andern beiden eher verängstigt.

Ich ließ mich aufs Sofa fallen. »Wann kommt es?«, fragte ich.

»April«, murmelte Kathi.

»Gut«, sagte ich, »was soll's. Ich will Patentante sein!«

Es wurde dann doch noch ein ganz annehmbarer Abend. Hannes, Paul und ich kippten uns die restlichen verfügbaren Weinvorräte hinter die Binde, und Hannes fand hinten im Küchenschrank noch ein Glas Wiener Würstchen.

Als Paul und ich gegen Mitternacht nach Hause kamen, schafften wir es gerade noch bis ins Schlafzimmer.

»Los komm, wir machen auch ein Baby«, sagte ich, »dann müssen wir nichts kaufen und kriegen alles gebraucht von Kathi und Hannes.«

Aber Paul hörte mich nicht. Er war schon eingeschlafen.

Schokolade

Es ist ja so was von Herbst, dass man nur noch weinen möchte. Oder heiße Schokolade trinken mit dem Rücken an der Heizung und *Harry-Potter*-Filme gucken. Aber nur eins bis drei, danach wird es so deprimierend, und dann muss ich wieder weinen. Das Problem ist auch, dass man nicht unbegrenzt hintereinander dieselben Filme gucken kann, wenn man ein halbwegs funktionierendes Kurzzeitgedächtnis hat. Auch das ist ein Grund zum Weinen.

»Lies doch mal ein Buch«, sagt mein Freund. »Stephen King zum Beispiel.«

»Genau«, sage ich, »weil das so heitere Lektüre ist. Da kann ich mir ja gleich die Pulsadern aufschneiden.«

»Nein«, sagt mein Freund, »da kannst du nachlesen, wie sich andere die Pulsadern aufschneiden. Mir hilft das immer sehr, wenn's mir nicht gutgeht …«

Ich nehme die DVD aus dem Laufwerk und lege eine neue hinein.

»Oder du gehst mal vor die Tür«, sagt Paul.

»Bist du irre!«, sage ich. »Da sind überall Menschen!«

»Eben«, sagt er, »triff dich doch mal wieder mit deinen Freundinnen, Frieda, Kathi, Effi, Steffi und wie sie alle heißen.«

Mir kommen die Tränen.

»Warum heulst du denn jetzt?«, fragt Paul.

»Weil ich keine Freunde mehr habe«, heule ich.

»Das stimmt doch nicht«, sagt er.

»Doch«, sage ich, »und mir fällt auch nichts mehr ein, weil ich so traurig bin, dass ich keine lustigen Geschichten mehr schreiben kann!«

»Dann schreib doch mal eine traurige Geschichte«, sagt mein Freund. »Es ist schließlich November, da sind viele Menschen traurig.«

»Mir fallen aber auch keine traurigen Geschichten mehr ein«, schluchze ich, »mir fällt überhaupt nichts mehr ein. Ich möchte eigentlich nur noch heiße Schokolade trinken mit dem Rücken an der Heizung und *Harry-Potter*-Filme gucken.«

»Dann mach das doch«, sagt Paul.

Ich wühle mein Gesicht in seine Schulter und rotze ihm das Hemd voll. »Aber ich kenne die Filme ja alle schon auswendig!«

Heulkrämpfe schütteln mich, Paul tätschelt meinen Kopf.

»Da hast du natürlich recht«, sagt er, »das ist wirklich zum Verzweifeln!«

Tanzen gewesen

Wir gehen tanzen in die *Alte Kantine*. Wie früher. Es macht Spaß bis zirka drei, dann wird es anstrengend.

Drei Uhr ist die Zeit, wenn plötzlich mehr Männer als Frauen auf der Tanzfläche herumwackeln. Nach dem Motto: »Wer jetzt noch keine klargekriegt hat, der sollte aber ganz doll hinmachen!« Und dann machen sie. Und wackeln. Drei gegen eine. Das ist nicht fair!

Als wir gegen eins gekommen sind, hatten wir noch den schwulen Mitbewohner von Tania dabei, aber der hat sich nur einmal hektisch umgeguckt und sofort angefangen in sein Handy zu hacken: »Hilfe! Bin in der Hetero-Hölle gelandet! Holt mich hier raus!«

Er war dann schnell wieder weg. Übrig blieben Tania und ich.

Als sie pinkeln geht, beugt sich ein Mann zu mir runter. Er sieht aus wie ein Berg. Ein Zentralmassiv in der wogenden Menge um ihn herum.

»Hast du Kinder?«, fragt der Berg.

»Nein«, sage ich.

»Willst du Kinder?«

»Ja«, sage ich zögernd. Der Berg richtet sich zu seiner vollen Größe auf.

»Ich kann dir'n Kind machen«, sagt er, »aber nur heute Nacht, morgen kommt meine Freundin wieder.«

Der Berg heißt Björn, ich kenne ihn von früher.

»Eine Freundin von mir«, sagt Björn, als er neue Getränke geholt hat, »die hat erst im dritten Monat gemerkt, dass sie schwanger ist.«

Keine Ahnung, wie wir auf das Thema gekommen sind, aber ich halte dagegen: »Eine Freundin von mir hat erst im fünften Monat gemerkt, dass sie schwanger ist. Nachdem ihr Freund gesagt hat: ›Geh mal zum Arzt, du fühlst dich so komisch an.‹ War voll krass für sie, weil man den Babybauch dann auch schon gesehen hat. Sie meinte, sie fühle sich wie Sigourney Weaver in *Alien*.«

»Boah, was ist das denn für 'ne Scheiße!«, sagt Björn.

Ich gucke mich um und verstehe kein Wort.

»Sigourney Weaver in *Alien*!«, tönt Björn. »So redet man nicht über 'ne Schwangere!« Ich glaube, er hat mich falsch verstanden.

»Nein, nein«, versuche ich ihn zu beruhigen, »sie hat über sich selbst so geredet, über ihre eigene Schwangerschaft.«

»Na und!«, sagt Björn. »Is doch total abartig. Ich meine, wenn ich das sagen würde!«

»Hä?!«

»Ja!«, Björn wirft sich in die Brust. »Wenn du jetzt von mir schwanger wärst und ich würde zu dir sagen: ›Iiih, da wächst was in dir drin, ist ja total abartig. Wie bei Sigourney Weaver in *Alien* …‹ Was glaubst du denn, was ich mir dann wieder anhören müsste?!«

»Hä?!!«

Björn lässt sich nicht beirren: »… aber wenn du das

sagst, dann ist das natürlich was anderes, dann ist das wieder so'n Frauending!«

Er setzt die Bierflasche an und trinkt sie in einem Zug aus.

Ich starre ihn an. »Aber es ist doch ihr Körper!«, rufe ich gegen den Lärm. »Es macht doch wohl einen Unterschied, ob ich über meinen sich verändernden Körper rede oder ob du über meinen Körper redest. Wenn ich es mache, beschreibe ich, wie ich mich fühle. Wenn du es machst, ist es eine Beleidigung.«

»Siehste!«, ruft Björn. »Genau das meine ich: Nie kann man es euch Frauen recht machen! Ihr seid immer sofort beleidigt!«

Ich gucke ihn an. Dann gehe ich tanzen. Und während Michael Jackson davon singt, dass Billie Jeans Baby nicht von ihm ist, kommt endlich auch Tania vom Klo zurück.

Ein älterer Mann mit Halbglatze steht auf der Tanzfläche. Inmitten der wackelnden Menge. Er hatte schon einen sitzen, als wir vorhin gekommen sind. Jetzt steht er da und starrt irgendwo hin. Ich glaube, er sabbert dabei.

»Wahrscheinlich genießt er das Angerempeltwerden«, brüllt Tania mir ins Ohr. »So kann er morgen erzählen, er hatte Körperkontakt.«

»Ja!«, brülle ich zurück. »*Heavy petting!*«

Ein Dünner im Anzug steht an der Säule und versucht die Mitleidsnummer: Er fixiert jede Frau, die vorbeigeht, mit Hundeblick. »Ich bin voll deep«, soll der Blick sagen, »ich habe Rotwein zu Hause.«

Auf solche bin ich ja früher immer reingefallen. Mir taten die einfach immer so leid! Wie scheiße ist das denn als Mann, dachte ich, den ganzen Abend musste dich zum Klops machen, und alle zeigen dir die kalte Schulter. Ich konnte das immer nicht. Ich hab immer alle angelächelt. Einfach, weil ich nett sein wollte. Hannes hat sich gefreut, weil er dann immer die ganzen bösen Blicke abgekriegt hat und mir die fickrigen Jungs vom Hals halten durfte.

Was der aber auch für Frauen abgeschleppt hat in dem Laden! Also Hannes jetzt. Manchmal dachte ich echt, das kann nicht wahr sein: »Hannes, Alta, das ist nicht dein Ernst!«, hab ich gesagt. »So gut KANN die nicht im Bett sein, dass du der ihr Gequatsche aushältst!« Aber Hannes hat gar nichts gesagt und nur gegrinst.

Das ist lange her, denke ich. Die Musik ist immer noch die gleiche. Erinnert sich hier noch jemand an Fools Garden?! Oder die Hansons?!

Irgendwann werde ich von einem Jüngling angetanzt, der mit etwas Glück mein Sohn hätte sein können. Also er wollte mich antanzen.

»Gehört ihr zusammen«, fragt er mich und zeigt auf den 1,90 Meter großen Björn, der plötzlich wieder neben mir steht.

»Wieso?«, frage ich.

Der Jüngling guckt entschuldigend. »Ich wollte nur fragen, ob ich dich antanzen darf.«

Mir macht tanzen gehen echt wahnsinnigen Spaß. Aber es gibt Abende, da freue ich mich fast noch mehr, wieder nach Hause gehen zu dürfen.

Sieben Minuten

Sieben Minuten sind eine verdammt lange Zeit an einem Samstag um halb fünf Uhr morgens. Zumindest, wenn man an der Haltestelle Rosa-Luxemburg-Platz auf die U2 wartet und nicht ganz nüchtern ist.

»Alles klar bei dir?«, fragt der Junge auf der Bank neben mir. Scheiße, wirke ich echt so besoffen?

»Alles klar«, sage ich.

»Jut«, sagt er. »Ick bin so besoffen, ick weeß janich mehr, wo oben und unten is.«

»Da kann ick dir helfen«, sage ich und zeige erst zur Decke, dann auf den Boden, »da is oben, da is unten.«

»Danke«, sagt er und nickt. Nach einer Pause fragt er: »Bis wohin fährst'n du?«

»Pankow«, sage ich. »Endstation.«

Nicken. »Könntest du mich vielleicht Schönhauser rausschmeißen, damit ick die Station nich verpasse?«

»Klar«, sage ich, »ick pass uff dich uff.«

Er sieht mir in die Augen. Er hat unglaublich dichte lange Wimpern.

»Ey, ick bin voll durch'n Wind«, sagt er. »Meine Oma hat heute angerufen, Opa hat Krebs. Der is 78.«

»Ach Scheiße«, sage ich, »das tut mir leid.«

»Ick bin 26«, erzählt der Junge weiter, »und ick hab meinen Opa seit zehn Jahren nich jesehn.«

Die Bahn kommt. Wir steigen ein und hängen uns in die Halteschlaufen.

»Geh ihn besuchen«, sage ich, »das hilft.«

»Oma will nich, dass wir alle kommen.«

»Frag ihn doch, was er will.«

»Meinste?«

»Auf jeden Fall.«

Der Junge schaut aus dem Fenster der Bahn auf den Anfang der Schönhauser Allee.

»Ick gloob, nächste mussick raus«, sagt er.

»Nee, übernächste«, sage ich.

»Ach so.«

Wir erzählen noch ein bisschen. Als ich ihn am Bahnhof Schönhauser Allee aus dem Zug schicke, umarmt er mich kurz zum Abschied. Er hat vorher um Erlaubnis gefragt. Als die Bahn fährt, bleibt er zurück.

Die Sirene

In dem Haus, wo ich wohne, in der Nachbarwohnung im dritten Stock, also direkt nebenan, da wohnt Lizzy. Lizzy ist drei Jahre alt. Sie hat blonde Locken und blaue Augen und überhaupt erstaunliche Ähnlichkeit mit einer Püppi namens Sabine, die ich als Kind mal besaß. Sie rennt am liebsten in einem pinkfarbenen Prinzessin-Lillifee-Tutu durch die Gegend. Lizzys Mama verdreht nur die Augen, zuckt mit den Schultern und sagt: »Watt willste machen?«

Ich mag Lizzy. Und sie mag mich auch. Jeden Tag, wenn Lizzy aus der Kita nach Hause kommt, will sie bei uns klingeln. Dabei wäre das gar nicht nötig, wir merken auch so, wenn das Kind nach Hause kommt.

Lizzy hat nämlich auf Treppensteigen so richtig gar keinen Bock. Schon gar nicht in den dritten Stock. Und weil Lizzys Mama keine Lust hat, ständig das Kind zu schleppen, können wir anderen Hausbewohner jeden Tag um fünf die Uhr stellen.

Dann kommt Lizzy aus dem Kindergarten und die Sirene geht los. Und je nachdem, wer stärkere Nerven hat, ebbt die Sirene entweder zu einem Jammern ab, das sich unendlich langsam, Stufe für Stufe, die Treppen in den dritten Stock hocharbeitet, oder man hört die Sirene in voller Lautstärke sehr schnell nach oben fliegen und die Tür zuschlagen. Dann hat Lizzys Mama sie einfach unter den Arm geklemmt.

Aber wenn Lizzy es geschafft hat und ganz alleine die drei Treppen hochgeklettert ist, dann hebt die Mama sie an unseren Klingelknopf und Lizzy darf bei uns klingeln. Und wenn ich dann die Tür zum Treppenhaus aufreiße, dann steht sie da als Püppi in Pink und Glitzer mit Rotzefaden von hier bis dort.

Und ich sage: »Wahnsinn, Lizzy! Bist du die ganzen Stufen ganz alleine gelaufen? Ohne zu weinen?«

Und dann strahlt Lizzy wieder. Und nickt heftig.

Ihr seid alle viel zu nüchtern!

Kennt ihr das, wenn ihr am nächsten Morgen aufwacht und alles, was ihr denken könnt, ist: Eieieieieieieiei? Genau so ging es mir letzten Samstag. Ich war nämlich Freitagabend auf dieser Party. In dem kleinen Laden in Wedding. Unten in dem Haus, wo Tania noch gelegentlich wohnt.

Also: Paul war übers Wochenende zu seinen Eltern gefahren. Deshalb rief ich Hannes an: »Hannes«, rief ich, »die Katze ist weg, lass uns auf Tischen tanzen!«

»Unbedingt!«, rief Hannes. »Nur wo ist der nächste Tisch?«

»Was macht denn Kathi?«, fragte ich.

»Kathi muss arbeiten«, sagte Hannes.

»Ach Manno!«, sagte ich.

Wir wollten uns erst mal weiter umhören. Deshalb rief ich Tania an: »Tania, mein Freund ist verreist, wir müssen unbedingt Party machen!«

»Fein«, sagte Tania. »Ich bin auch allein. Kommt alle her nach Frankfurt am Main!« Ich hatte vergessen, dass sie dort vor kurzem hingezogen war. Wegen der Liebe.

Und dann erzählte Tania, dass Natalie heute unten in der Galerie eine Party feiern wollte.

»Geht doch da hin!«, schlug Tania vor. »Bestellt ihr einen schönen Gruß von mir, dann geht das schon in Ordnung.«

Als wir ankommen, fühle ich mich schlagartig wie sechzehn. Die »Galerie« befindet sich in den Ladenräumen eines unsanierten Altbaus. Es gibt einen großen Raum vorne mit einem Kachelofen und einen kleinen hinten, wo die Bar, der Kühlschrank, ein kleiner Allesbrenner und ein Kabuff mit Toilette sind.

»Kennst du denn diese Natalie?«, raunt Hannes.

Ich mache eine vage Handbewegung. Ich habe eine Flasche Wein mitgebracht, Hannes hat seinen Kumpel Robert dabei.

Ein paar dekorativ gelangweilt aussehende Künstlermenschen stehen in der Gegend rum. Eine Hippiepunkband macht fröhlich schlechte Musik hinterm Kachelofen, weil dort die einzig funktionierende Steckdose ist. Robert kennt den Schlagzeuger.

»Hallo, ich bin Lisa«, sagt eine Frau mit braunen Locken.

»Hallo, ich bin Lea«, sage ich und nehme die Hand, die sie mir hinhält, obwohl ich ihr viel lieber in die Haare fassen würde. »Ich bin eine Freundin von Tania. Tania ist in Frankfurt am Main. Schöne Grüße.«

Neben mir fängt Hannes an zu zappeln. Ich glaube, er denkt dasselbe wie ich.

»Das ist Hannes«, sage ich und gebe Lisas Hand nur widerstrebend her. »Einen Robert haben wir auch noch dabei, der ist dahinten irgendwo.«

Lisa lacht und verschwindet im Gewühl.

Ein großer Dunkelhaariger kommt vorbei. Er sieht mich an und murmelt: »Ich kenn dich …«

Hannes sieht ihm nach. »Erst mal was trinken«, sagt er.

Keine zehn Minuten später hat Hannes die Bar unter seiner Kontrolle. Der Mann ist ein passionierter Sozialarbeiter. Aber eigentlich schlägt in seiner Brust das Herz eines Barkeepers. Er macht das wirklich hervorragend.

»Lass mich dir huldigen«, lallt einer der Künstlermenschen und verbeugt sich tief.

Hannes grinst und schenkt ihm nach. Schade, dass er keinen Frack anhat.

Ich sitze auf dem einzigen Barhocker weit und breit. In meinem Rücken bollert ein kleiner schmiedeeiserner Ofen vor sich hin und verströmt eine wohlige Wärme. Der November ist draußen und bleibt da.

»Wer bist du eigentlich?«, fragt eine irritierte junge Frau, die plötzlich vor der Bar steht.

»Ich bin Hannes«, flötet Hannes und drückt ihr ein Bier in die Hand. »Das hier ist Lea. Wir sind Freunde von Natalie. Und wer bist du?«

»Ich bin Natalie«, sagt die junge Frau.

»Natalie!«, rufen Hannes und ich.

Es stellt sich heraus, dass das die Geburtstagsparty von Natalie und Lisa ist, das hatte Tania vergessen zu sagen. Im Herbst haben immer so viele Leute Geburtstag, weil die Eltern im Winter zu faul zum Heizen waren und lieber früh ins Bett gegangen sind, da kommt man aus dem Feiern gar nicht mehr raus.

Hannes bleibt da, als Robert beschließt, den Wedding Wedding sein zu lassen und zum Feiern in einen cooleren Bezirk weiterzuziehen.

Die Bar ist die Kathedrale der Fete. Hierher kommen die Menschen, um zu bitten, zu beichten und um Rat und Trost zu empfangen. Den Trost in flüssiger, geistreicher Form, den Rat auch ungebeten.

»Jetzt knutscht doch mal endlich!«, fordert Hannes den großen Dunkelhaarigen und die ihn anschmachtende Frau daneben auf.

»Irgendwoher kenn ich dich«, murmelt der Dunkelhaarige und starrt mich an.

Wir beobachten ein Pärchen, das sich getrennt voneinander durch den ganzen Raum flirtet, die Blicke immer starr aufeinander gerichtet, um zu gucken, wer als Erster eifersüchtig wird.

Der Dunkelhaarige bestellt ein neues Bier und hebt den Zeigefinger, als wolle er mir ein Ultimatum stellen: »Ich kenn dich«, sagt er.

Lisa ist schon viel betrunkener als ich. Natalie sieht ziemlich gestresst aus.

»Du bist viel zu nüchtern«, sagt Hannes und schenkt ihr nach. Er war mal Messdiener, er weiß, wie das geht.

Und dann geht der Ofen aus. Und weil mir kalt wird im Rücken, gibt mir Gregor sein Jackett. Gregor ist der Freund von Natalie, bzw. er war an dem Abend noch der Freund von Natalie.

Tania hat mir später erzählt, dass Natalie und Gregor sich in der Nacht noch furchtbar gezofft haben, aber das machen die wohl öfter, sagt Tania.

Ich persönlich fühle mich ja mittlerweile zu alt für Beziehungen, die man nur aufrechterhält, weil der Versöhnungssex so geil ist.

Tania hat sich nur über die zwei leeren Wodkaflaschen

gewundert, die in ihrer Wohnung auf dem Boden lagen, als sie Sonntag nach Hause kam. Also bei Tania jetzt, die in Frankfurt am Main, die uns auf die Party geschickt hat.

Natalie war nämlich so sauer auf Gregor, dass sie bei Tania in der Wohnung geschlafen hat. Also in Tanias alter Wohnung, die sie noch hält, bis sie weiß, was das mit der Liebe in Frankfurt wird. Hab ich überhaupt schon erwähnt, dass die alle in dem Haus wohnen, wo unten die Galerie drin ist? Also fast alle, die auf dieser Party waren, wohnen auch in dem Haus. Deswegen sind Hannes und ich ja so aufgefallen.

»Ich hab's!«, sagt der Dunkelhaarige. »Ich hab dir vor zehn Jahren ein Fahrrad verkauft. Ein graues Chakra-Damen-Trekkingrad.«

»Bitte?!«, sagt Hannes.

»Im *Bike Market*!«, sage ich. »Kastanienallee!«

Es fällt mir wie Schuppen von den Augen.

Die dunklen Haare lagen damals zum Zopf gebündelt auf seinen Schultern. An seine Arroganz erinnere ich mich auch. Sie war so penetrant, dass sie seine nicht unerhebliche Attraktivität sogar in meinen Teenageraugen schmälerte. Jeder Kunde konnte sofort sehen, dass dieser Fahrradhändler eigentlich zu was Größerem geboren war.

»Stimmt«, sage ich. »Du hast mir die Reflektoren für die Pedale einfach mitgegeben, statt sie zu montieren.« Natürlich hab ich die Reflektoren dann nie selber montiert. Im Grunde ist der Typ an mindestens der Hälfte all meiner Fahrradunfälle schuld.

»Nee, oder?«, sagt Hannes und meint nicht die Pedale.

»Das ist aber fünfzehn Jahre her«, füge ich hinzu.

Der ehemalige Fahrradhändler ist jetzt Fotograf geworden und hat gerade eine schlimme Sinnkrise. Er redet immer von »Medien« und »Gleichgültigkeit«, und ich halte dagegen mit »Ästhetik« und »Glück« und dass es nur darauf ankäme, die richtigen Ausschnitte anzugucken, um einen Sinn zu sehen, aber er hört mir überhaupt nicht zu und guckt nur in meinen Ausschnitt und fängt wieder von vorne an mit »Medien« und »Gleichgültigkeit«.

Und plötzlich reicht es mir und ich brülle ihn an: »Du bist ein arrogantes Arschloch!« Subtil und besoffen geht eben auch nicht zusammen. Vielleicht hat sich meine Wut über die Reflektoren auch nur endlich Bahn gebrochen.

Als ich vom Klo zurückkomme, ist Hannes schon gegangen. Natalie auch. Der Fahrradhändler knutscht mit der Frau von dem eifersüchtigen Pärchen. Und in den Locken der schönen Lisa wühlt irgendein Künstlermensch.

Ich weiß nicht mehr so genau, wie ich nach Hause gekommen bin. Ich weiß nur, dass ich irgendwann volltrunken an meiner Haustür lehnte, den Schlüssel gezückt wie einen Colt, nach dem bewährten Motto: »Wenn ein Schlüsselloch vorbeikommt: Einfach zustechen!«

Und dann wachte ich mittags um zwölf in meinem Bett auf und dachte: Eieieieieieieiei!

Wie ich zum ersten Mal in meinem Leben die Schule schwänzte

Der 9. November 1989 war ein Donnerstag. Ich weiß das deshalb so genau, weil ich damals noch zur Schule ging. Schulkinder wissen immer, welcher Wochentag gerade ist, weil der Stundenplan jedem Tag bestimmte Eigenschaften verleiht. Donnerstage waren ätzend. Wegen Turnen, das mochte ich nie. Außerdem hab ich am Samstag, den 11. November 1989 das erste Mal in meinem Leben die Schule geschwänzt. So was vergisst man nicht. Ich war in der vierten Klasse und zehn Jahre alt.

Welcher Wochentag der 11. September war, weiß ich zum Beispiel gar nicht mehr. 2001 war ich frisch immatrikulierte Studentin. Die Wochentage verschwammen in dem Chaos von Partys, Liebeskummer, Seminaren und Callcenterjob zu einer ewigen Tagundnachtgleiche.

Am Freitag, dem 10. November 1989, aber war der Klassenraum der 4b wie leer gefegt. Zwei Drittel der Kinder waren »krank«. Keiner der Lehrer machte richtigen Unterricht. Und als ich nachmittags aus der Schule nach Hause kam, sagte meine Mutter: »Komm, wir gehen Omilein besuchen.«

Ich dachte erst, sie hätte sich versprochen. Omilein war meine Westoma, meine Westuroma, um genau zu sein, die Oma meines Vaters. Sie war 89 Jahre alt, wohnte in diesem sagenumwobenen Westberlin und kam oft zu Besuch zur Johannisthal-Oma. Omilein kam zu Besuch, aber man ging sie nicht besuchen. Normalerweise.

»Pack dir einen Schlüpfer und ein Nicki zum Wechseln ein und deine Zahnbürste«, rief meine Mutter vom Telefon her. Das wurde ja immer schöner! Sollte ich am Ende da übernachten? Bei Omilein? Im Westen?

An der Friedrichstraße war eine lange Schlange vor dem Schalter für das Begrüßungsgeld. Hundert Westmark, die meine Mutter gleich in Winterstiefel fürs Kind investierte, das nehme ich ihr bis heute übel.

Und dann standen wir da am blinkenden Ku'damm und wussten gar nicht, wie wir jetzt zu Omilein kommen sollten. Es war 28 Jahre her, dass meine Mutter zuletzt auf dem Ku'damm gestanden hatte. Da war sie selbst zehn Jahre alt. Und bei Omilein war sie nie gewesen, war ja schließlich ihre Schwiegeroma, ihre geschiedene Schwiegeroma, um genau zu sein.

Sie fragte einen Taxifahrer, wie wir in die Halberstädter Straße kämen.

»In Westberlin!«, mischte ich mich ein. Jemand musste dem Mann ja erklären, was Sache war.

»Da wohnt nämlich Omilein«, ließ ich ihn wissen. »Omilein ist meine Uroma, die Oma von meinem richtigen Vater. Bei der soll ich heute schlafen. Ich hab auch noch einen Papa, das ist der Mann von Mama, der hat sogar zwei Omas, die wohnen in Hennigsdorf.«

Der Taxifahrer lachte und ließ uns einsteigen. Dann chauffierte er uns kostenlos bis vor Omileins Haustür.

Am Samstag, dem 11. November, saß ich in Charlottenburg mit meinem Vater und meiner Urgroßmutter am Frühstückstisch und musste nicht zur Schule gehen. Meine Mutter war zu Freunden nach Schöneberg gefahren, wo Papa auch war.

Später kam ein Freund meines Vaters zu Besuch, der vor Jahren »rübergemacht« hatte. Ich erinnere mich nicht mehr, was dann passierte. Vermutlich fragte er mich, was ich mir von meinem Westgeld gekauft hätte, und ich fing an zu heulen und erzählte, wir hätten »was Praktisches« gekauft, jedenfalls fand ich mich kurz darauf in Begleitung des mir einigermaßen fremden Mannes in der Süßwarenabteilung im Kaiser's um die Ecke wieder, wo Rainhardt (so hieß er nämlich, jetzt weiß ich's wieder!) … wo Rainhardt verkündete – und daran erinnere ich mich nun aber GANZ genau –, ich dürfe mir jede Süßigkeit aussuchen, die ich haben wolle, er würde alles bezahlen.

Stellt euch Ali Baba beim Anblick des Räuberschatzes vor! Oder Aschenputtel bei ihrer Ankunft auf dem Königsschloss! Stellt euch einen Menschen vor, der plötzlich da steht, wohin er sich nicht mal in seinen kühnsten Träumen hinzuwünschen gewagt hätte. Vielleicht bekommt ihr dann eine ungefähre Vorstellung dieses überwältigenden Gemischs aus Glück und Gier, das mich im Angesicht dieser Fülle von Süßigkeiten überkam.

Jahrelang hatte ich im Westfernsehen jeden Tag Reklame geguckt und dabei auf den Fernsehsessel gesabbert: Kinderschokolade, Nutella, Ferrero Rocher. Das Weiße mit »ohne Schokolade«, mit der schönen Frau mit Sonnenhut, wie hieß das? Rafaello, genau, das fand ich am tollsten. Jahrelang mussten wir auf Weihnachts- und

Geburtstagspakete warten, um solche Köstlichkeiten zu genießen. Manchmal, in den Ferien, gab's im Intershop eine Packung Kaubonbons. Maoam.

Rafaello war übrigens nie drin in den Westpaketen, wahrscheinlich war es zu teuer und nahm zu viel Platz weg. Bestand ja schließlich nur aus Luft und Verpackung, das Zeug. Rafaello, meine ich.

Und dann war die Mauer weg und man konnte bei Omilein zu Hause schlafen, es gab Süßigkeiten für umsonst bis zum Erbrechen, und zur Schule musste man auch nicht mehr gehen. Das war der Westen!

Es ist unnötig, zu erzählen, dass ich ab Montag, den 13. November 1989 drei Tage mit Magenverstimmung im Bett lag. Es ist auch egal. Ich war nie so glücklich, während ich in einen Eimer kotzte.

Der Westen war ausgebrochen! Von nun an würden wir überall hin mit dem Taxi fahren, ohne zu bezahlen, wir würden uns nur noch von Schokolade ernähren, und wir müssten nie wieder zur Schule gehen.

Für immer!

Wahnsinn!

Lebensgenussmittel

Kathi hat geschrieben. Ob wir uns mal wieder sehen wollen. Natürlich wollen wir. Wo doch jetzt alles geklärt ist. Wir treffen uns in Kreuzberg beim Street-Food-Market in der Markthalle 9. Der Freund einer ehemaligen Studienkollegin von Kathi eröffnet dort einen Stand, an dem er vegane Bockwurst mit Vanillegeschmack für zehn Euro pro hundert Gramm verkauft. Der neue heiße Scheiß. Heiß und fettfrei.

Die Verkaufsstände erinnern mich schmerzhaft an die der Mittelaltermärkte, wo ich als Jugendliche Schmuck verkauft habe. Rohe Holzverkleidungen sollen Authentizität vortäuschen. Jutesäcke, gekauft im Sonderangebot bei Amazon für 9,95 Euro statt 14,95 Euro das Stück, verhüllen die hässlichen Kabel der Computer und Kühlschränke hinter den Tresen. Das Pitabrot wird in Großpackungen aus Plaste in der Metro gekauft für 6,99 Euro. Genau wie von den Betreibern des arabischen Imbiss zwei Straßen weiter, nur dass deren Falafel im Brot gerade mal halb so viel kosten. Dafür ist die Speisekarte aber auch nicht handgehäkelt wie hier in der Markthalle.

Kathi sieht schön aus. Sie trägt eine blaue Bluse, die ich gar nicht kenne. Die betont die Farbe ihrer Augen.

Ihre Wangen sind rosig, die Haut ist weiß. Kathis ganze Schneewittchenhaftigkeit tritt zutage. Es ist was Glänzendes an ihr. Kann aber auch Make-up sein. Ich sehe ihr zu, wie sie redet. Die weißen Hände fliegen durch die Luft wie Täubchen. Würde Tolstoi schreiben. Sie stülpt die Lippen nach vorne beim Trinken. Ich kann sehen, dass sie sich langweilt.

Ich weiß noch, wie ich Kathi das erste Mal sah. Ich hatte wieder einen Mitbewohner verschlissen und suchte einen neuen. Oder eine neue. Viele Vollidioten wurden vorstellig, merkwürdig riechende Menschen mit merkwürdigen Stimmen und merkwürdigen Geschichten.

Ich hatte mich schon darauf eingestellt, wieder ein halbes Jahr mit irgendeinem spätpubertären Versager zusammenzuwohnen, der das Bad nicht putzte und sich ausschließlich von stinkenden Tütensuppen ernährte, da meldete sich noch jemand. Eine junge Frau.

»Ich weiß, dass ich echt spät dran bin, aber dürfte ich trotzdem noch zur Besichtigung kommen? Ich habe Germanistik und Theaterwissenschaften in Braunschweig studiert und mache gerade ein Praktikum bei der *Berliner Zeitung*. Bis jetzt schlafe ich bei einer Freundin auf der Couch, aber ich brauche echt dringend ein möbliertes Zimmer.«

Es war Liebe auf den ersten Blick. Sie kam die Treppe hoch in einem schwarzen Mantel, so einem, wie ich selber schon lange haben wollte, hatte ein offenes Lächeln und sagte mit tiefer, fester Stimme: »Hallo, ich bin Kathi!«

Coole Frau!, dachte ich.

Wir unterhielten uns, rauchten meine Küche voll und merkten gar nicht, wie die Zeit verging.

Plötzlich klingelte es an der Tür. Erschrocken sahen wir uns an.

»Oh nein, das ist der Nächste!«, sagte ich.

»Ach, entschuldige, ich muss auch los, ich halte ja hier den ganzen Verkehr auf.« Sie stand auf und fing an, ihre Sachen zusammenzusuchen. Ich wollte nicht, dass sie ging.

»Willst du das Zimmer haben?«, fragte ich kurz entschlossen.

Sie drehte sich um. »Was? Klar, ey!«

»Dann setz dich wieder hin. Ich hol den Sekt.«

Ich versuchte, meine Stimme traurig klingen zu lassen, als ich den Unglücklichen vor der Tür wegschickte. Aber ich glaube, er hörte noch das Knallen des Sektkorkens und unser Gelächter, als er die Treppe runterging.

Kathi lacht auf. Sie wirft den Kopf zurück dabei. Aber es sieht nicht echt aus. Sie hat die Augen so komisch. Es ist nur das Zitat eines Lachens.

Ich stehe verloren zwischen merkwürdig gekleideten Menschen mit eckigen Brillen über langen Bärten und Witwe-Bolte-Haarknoten oben auf dem Kopf. Ich finde ja Hipsterbashing bescheuert und langweilig. Die Leute sind eben jung und aufgeschlossen. Die wissen, was angesagt ist. Ich wusste noch nie, was angesagt ist.

Zwei Frauen in langen dunklen Mänteln und Kopftüchern laufen an uns vorbei. Sie gehen in den Aldi am anderen Ende der Markthalle.

»Das ist der einzige Schandfleck hier«, sagt ein Junge, der mit seinen zotteligen Haaren und der Ringelmütze irgendwie erstaunliche Ähnlichkeit mit einer Muppet-Figur hat. Ich komme nur partout nicht drauf, mit welcher.

So wie er die beiden Frauen anguckt, kriege ich große Lust, ihm seinen Wrap mit Sojabohnen und Bärlauchsoße bis zum Anschlag in den Hals zu schieben. Das würde uns weitere Kommentare ersparen.

»Ich meine, es gibt so gutes und auch wertvolles Essen hier zu kaufen, das muss doch nicht mit den Discountern unter einem Dach sein.«

Ich versuche ganz doll, mich zusammenzureißen, aber ich schaffe es nicht. »Du meinst, weil dann die Aura der Lebensgenussmittel gestört wird?«, sage ich.

Der Muppet-Mann guckt mich bewundernd an. Auf diese treffende Formulierung wäre er von alleine nie gekommen.

Kathi, die eine Weile woanders stand, kommt herbei und zieht mich weg: »Wie geht es dir?«, fragt sie.

»Joa, gut«, sage ich.

»War schön neulich die Party?«, fragt sie.

»Die in Wedding?«, sage ich. »Ja, geht so.«

Kathi guckt mich an. »Weißt du, es wäre schon nett gewesen, wenn du mich wenigstens gefragt hättest!«

Ich gucke sie an. »Was ist los?! Du musstest doch arbeiten!«

»Ja. Bis zehn«, sagt sie. »Danach saß ich zu Hause.«

Ich bin perplex. »Aber, Kathi, du hättest anrufen können.«

Sie murmelt irgendwas.

Mir kommt die Wut hoch: »Weißt du, ich habe so gar keine Lust auf Vorwürfe. Ich dachte, wir machen uns einen schönen Abend. Es tut mir leid, wenn du dich übergangen gefühlt hast neulich. Ich hab mich die letzten drei Monate lang von dir übergangen gefühlt. Ist ja schön, dass du verliebt bist. Das mit dem Baby ist auch schön. Aber ich hätte das gerne irgendwie anders erfahren. Persönlich zum Beispiel. Von dir. Nicht bei so einem inszenierten Abendessen. Ich dachte, du wärst meine Freundin.«

Kathi starrt mich an. Die Falte auf ihrer Nasenwurzel sieht aus wie ein Pi-Zeichen.

»Also jetzt wird's echt wild«, sagt sie. »Wenn du ein Problem mit einer Entfremdung hast, sprich doch so was bitte einfach mal an. Und am besten nicht, wenn ich gerade was auf dem Herzen habe.«

»Wann hätte ich das denn ansprechen sollen? Sage mal. Wir haben uns drei Monate nicht gesehen!«

»Ich dachte, du freust dich für mich!«

»Und ich dachte, ich würde es als Erste erfahren, wenn du schwanger bist!!!«

Wir stehen erschöpft voreinander.

Vier junge Spanier gucken erstaunt zu uns rüber und gehen dann plaudernd weiter. So sind die Deutschen, denken sie wahrscheinlich, ständig brüllen sie irgendwas. »Einsteigen!« – »Zurückbleiben!« – »Ich dachte, du freust dich für mich!«

Der Muppet-Hipster murmelt: »Mann, Alta, chill ma die base! Schlechte Vibes, hier.« So laut, dass Kathi und ich es hören können. Und beide lachen müssen.

»Ich hab dich vermisst«, sagt sie leise.

»Ich hab dich auch vermisst«, sage ich laut. Und dann liegen wir uns in den Armen.

Die Spanier lachen und schütteln die Köpfe. Und der Muppet-Hipster murmelt: »Siehste, geht doch.«

Wir setzen uns ab und rufen ein Taxi. Dann gehen wir

noch was trinken auf halbem Weg nach Hause. Ich ein Bier, Kathi eine Brause. Jetzt darf sie ja wirklich nicht mehr rauchen.

»Aber so ein bisschen Passivrauch schadet dem Kind schon nichts«, sagt sie, als wir die Tür zu der schummrigen Eckkneipe hinter dem Bahnhof Schönhauser aufstoßen.

»Nee«, sage ich, »schließlich kriegst du einen echten Berliner!«

»Oh Gott«, sagt Kathi, »denkst du, ich muss ihm Buletten braten?«

»Quatsch! Kein Mensch isst mehr Buletten in Berlin. Höchstens Döner. Oder vegane Burger mit Vanillegeschmack.«

Kathi schüttelt sich. »Ich werde keine Biomutti«, sagt sie feierlich und erhebt ihr Brauseglas. »Darauf eine Bionade.«

Ich freu mich schon, wenn meine Freundin im nächsten Sommer Mutter wird. Dann können wir im Herbst endlich mit Kinderwagen vorm Späti sitzen und Bier trinken. Das wird fein.

Der Tannenbaum

Solange ich denken konnte, hatten wir Weihnachten eine Tanne. Mama kann Fichte nicht ausstehen. Der Baum ging fast bis zur Wohnzimmerdecke und musste mit roten und silbernen Kugeln geschmückt werden – symmetrisch!

»Immer im Dreieck«, skandierte meine Mutter. »Immer im Dreieck mit der Spitze nach oben!« Und dann nahm sie die Kugeln, die ich aufgehängt hatte, wieder ab und hängte sie noch mal. Aber vorher mussten noch die Kerzenhalter befestigt werden. Die Kerzenhalter von meiner Urgroßmutter, die an langen Metallstäben in den Baumstamm gebohrt wurden. Tief genug, um nicht rauszufallen, aber nicht zu tief, sonst kamen die Spitzen an der anderen Seite wieder raus und Mama hatte Angst, dass der Baum in der Mitte auseinanderbricht.

Eigentlich hatte meine Mutter sowieso die meiste Zeit Angst vor dem Baum. Bei jedem Knacken sprang sie quietschend auf, immer eine Hand am Wassereimer. »Nächstes Jahr haben wir elektrische Kerzen!«, sagte sie dann immer. Und Papa sagte: »Jaja!«

Lametta musste auch noch an den Baum. Das schwere Bleilametta, auch von der Urgroßmutter.

»Faden für Faden!«, sagte meine Mutter. Es gibt nichts Langweiligeres, als Lametta an einen zwei Meter großen Baum zu hängen. Man hat das Gefühl, man wird nie fertig.

»Schön«, sagte meine Mutter, wenn wir fertig waren, und ich sagte auch »Schön!«, und dann war es vorbei mit der Besinnlichkeit, weil wir noch Sülze essen, Klamotten wechseln, in die Kirche gehen und Oma von der S-Bahn abholen mussten, bevor wir uns das erste Mal wieder setzen durften. Außerdem musste mein Vater die Ente machen, und die Klöße und Pfefferkuchen mussten wir ja auch noch essen.

Sowieso wurde Heiligabend bei uns die meiste Zeit gegessen. Als meine Freundin Frieda mir erzählte, bei ihr zu Hause gebe es Heiligabend nur Kartoffelsalat und Würstchen, wären mir vor Mitleid fast die Tränen gekommen. Ich dachte nämlich, dass es bei Frieda dann auch keine Bescherung geben würde, weil die Bescherung bei uns zu Hause immer genau so lang dauerte, wie die Ente im Ofen war. Für meinen Vater war das ganze Tannenbaumschmücken, Kirchegehen und Geschenkeschenken sowieso nur eine Beschäftigung, um die Zeit zwischen den Malzeiten zu überbrücken. Der Höhepunkt war die Ente.

»Jetzt ist Weihnachten!«, sagte Papa, wenn er dem Vogel die Flügel brach, und Oma sagte: »Kinder, ihr wisst doch, dass ich abends nichts esse!« Dann nahm sie den ersten Bissen und sagte: »War wohl 'ne alte Dame, wa?«, und Papa sagte nichts, sondern guckte nur. Dann sagte Mama: »Da bleibt ja noch was übrig zum Einfrieren!«, und Papa guckte noch mehr.

Irgendwann war die Ente verspeist, Mama durfte endlich die Kerzen am Baum auspusten, und Papa öffnete den zweiten Knopf seiner Hose, rutschte auf dem Sessel so weit nach unten, dass er fast auf dem Rücken lag, und sagte: »Jetzt ist mir so richtig schön schlecht!« Und dann war Weihnachten vorbei. So war das immer, solange ich denken konnte.

Es begab sich aber zu der Zeit, als die Mauer noch stand und ich noch nicht denken konnte, dass wir ein Weihnachten ohne Weihnachtsbaum hatten. »Ich weiß bis heute nicht, warum ich mich damals nicht von deinem Vater getrennt hab«, hat meine Mutter immer gesagt. Sie hat sich später getrennt, aber aus anderen Gründen.

Papa sollte den Weihnachtsbaum nämlich besorgen, wie jedes Jahr. »Hast du schon den Weihnachtsbaum besorgt«, fragte Mama jeden Tag, und Papa sagte: »Die kriegen noch mal neue. In der letzten Woche vor Weihnachten kriegen die noch mal neue.«

Und plötzlich war der 23. Dezember. Und sie hatten nicht noch mal neue gekriegt. Sie hatten nicht mal mehr alte übrig. In der ganzen Stadt. An allen Verkaufsstellen. Nicht mal eine mickrige Krüppelkiefer hatte Papa noch abgekriegt.

Und so stand er da am Bahnhof Ostkreuz, der Wind pfiff ihm in den Parka, und er hatte keinen Weihnachtsbaum. Papa liebte meine Mama. Aber nun hatte er doch ein bisschen Angst, nach Hause zu kommen. Er hatte schon eine halbe Schachtel Karo geraucht. Sein Hals fühlte sich an, als müsste der Nadelbaum aus ihm rauswachsen.

Und dann sah er sie. Wie vom Himmel geschmissen

stand sie da: eine mickrige Krücke von Tannenbaum, zehn Fäden Lametta, zwanzig Nadeln, drei traurige Lichter an den Zweigen. Aber ein Tannenbaum. Auf dem verlassenen Bahnhof Ostkreuz, auf dem Bahnsteig Richtung Erkner. Lieblos weggeworfen in einen der überfüllten Papierkörbe.

Papa guckt sich um und schlendert zum Papierkorb. Beiläufig. Er wirft die Zigarette weg, tritt sie aus, geht hin zu dem Papierkorb und will das Bäumchen aus seiner unheiligen Unterkunft befreien, da hallt von weit oben aus dem Lautsprecher über dem Schaffnerhäuschen eine Stimme über den Bahnsteig: »Hey, Sie! Lassen Sie sofort den Baum stehen! Der ist Volkseigentum!«

Es wurde ein sehr bescheidenes Weihnachten. Mit Tannenzweigen in einem großen Krug, an die Mama zwei, drei Kugeln und zehn Fäden Lametta hängte, und mit Kartoffelsalat und Würstchen. Mama seufzte, Papa seufzte. Dann verspeiste er den letzten Löffel Kartoffelsalat, küsste seine Frau und sagte: »Frau, ich werde das wiedergutmachen. Von nun an sollst du jedes Jahr einen Baum haben zu Weihnachten. Und Sülze soll es geben. Und Pfefferkuchen. Und Ente.«

Da freute sich Mama und küsste ihn. Und er küsste sie. Und dann gingen sie ins Bett und hatten sich lieb. Und als wieder Weihnachten war, hatten sie nicht nur einen Baum, eine Sülze, eine Ente und einen Haufen Pfefferkuchen in der Wohnung, sondern auch noch ein Baby.

Der Name des Brotes

Rathauscenter. »Zenter«, wie der Pankower sagt. Samstagnachmittag. Wir sind diesmal früher einkaufen gegangen, damit ich auch mal Tageslicht sehe. Hat nicht geklappt. Es schneestöbert. Trotzdem haben alle anderen Einwohner Pankows dasselbe auch versucht. Es herrscht ein Gedränge, als wäre gestern die Mauer gefallen und das hier der Westen.

»Joghurt, Bier, Orangen, Brot, Gesichtscreme, Bodymilk«, lese ich vor.

»Erst mal zu Rossmann«, sagt Paul, »dann können wir auch gleich im Biodings Brot kaufen.«

Bei Rossmann geht es unglaublich schnell, ich bin sehr stolz auf mich. Frohgemut steuern wir die Brottheke der Biocompany an. Wenn der Einkauf so weitergeht, sind wir in dreißig Minuten wieder draußen.

»Das war so ein Dunkles mit Körnern«, sagt eine ganz kleine Omi mit einer riesigen schwarzen Handtasche zu der Frau hinter der Theke. Ein ganz kleiner Opi rüttelt an ihrem Arm. Die Omi lässt sich nicht beirren.

»So ein ganz Dunkles«, sagt sie.

Die Brotverkäuferin ist ausgesucht höflich: »Dunkel sind die alle«, sagt sie, »und Körner haben die meisten.«

Die Omi starrt grimmig auf das Brotregal und versucht, die Schrift auf den kleinen Schildchen zu entziffern.

»So ganz aromatisch war das«, sagt sie.

Der kleine Opi rüttelt: »Jetzt versuch doch noch mal, dich zu erinnern, wie es hieß, das Brot.« Es klingt ganz so, als würden die beiden dieser Krümelsuche in den Erinnerungen der Omi schon eine Weile nachgehen. Ungefähr so erfolgversprechend wie Hänsel und Gretel auf dem Nachhauseweg.

»Ja«, sagt die Omi, »das war so ein ganz besonderer Name. So was ganz Originelles.«

»Bernd«, murmelt Paul.

»Nee, nich Bernd«, sagt die Omi nachdenklich, »is doch kein Name für'n Brot, schließlich!«

»Wissen Sie denn noch, ob es süß oder salzig war?«, fragt die Verkäuferin.

»Nee, nich süß«, sagt die Omi. »Brot ist doch nicht süß! Würzig war das. Mit Kräutern.«

»Sie wünschen?«, sagt die Käsefrau plötzlich. Sie kommt der Brotfrau zu Hilfe. Hinter uns hat sich mittlerweile eine Schlange gebildet.

»Äh«, sage ich.

»Ein halbes Roggen, bitte«, sagt Paul.

Brot kann vielleicht nicht süß sein, denke ich. Aber ganz kleine Omis, die können das.

Genau andersrum
als beim Vögeln

Der Januar ist fast vorbei. Das merkt man daran, dass in der Umkleide vom Fitnessstudio wieder Spinde frei sind.

»Jedet Jahr dittselbe!«, sagt Gisela, die nackig vor dem Spiegel steht und sich die Haare kämmt. »Im Dezember is hier Totentanz, aber Silvester nehm' se sich alle vor, watt für die Figur zu tun, und ick kann sehen, wo ick bleibe.«

Gisela lacht und wackelt mit dem Po. Sie ist 69 Jahre alt und jeden Abend hier.

Als ich im Sommer angefangen hab mit Sport, hab ich noch spöttisch gedacht: Die ist ja jeden Abend hier! Aber nach zwei Wochen war mein Shampoo alle und Gisela lieh mir ihrs und sagte: »Na, Sie sind ja ooch jeden Abend hier!«

Mittlerweile sind wir Freundinnen. Und immer die Letzten.

»Gisela, zieh dich an, wir sind schon wieder die Letzten!«, rief ich gestern durch die Umkleide.

Gisela sagte: »Ja. Ja!«, und stieg grazil in den Tanga, die Strumpfhose, den grünen Rock und stülpte den roten Rollkragenpullover über. Wenn man Gisela laufen sieht, denkt man, sie ist so alt wie ich. Wenn man mich laufen sieht, denkt man: »Wie läuft'n die?!«

Ich hab doch diese Gehbehinderung und kann ein paar Sachen nicht. Joggen zum Beispiel. Aber Crosstrainer geht. Das sind diese Hamsterräder ohne Räder, die von außen durch die Fensterscheibe immer so bescheuert aussehen, wenn fünf Leute nebeneinander im Stehen geradeaus rudern, ohne auch nur einen Millimeter von der Stelle zu kommen.

Früher hab ich meinen Bewegungsdrang durch Tanzen, Sex und Fahrradfahren befriedigen können, aber seit alle um mich rum Babys, Rücken und Festanstellungen bekommen haben, wurde die Lage zunehmend desperat.

Und alle gingen plötzlich turnen. Früher galt Sport ja als Nazikacke. Anständige Intellektuelle gingen spazieren. Für die schlanke Linie gab es regelmäßige Verabreichungen von Schnaps, Kaffee und Zigaretten. Und feiertags eine Prise Koks oder ein Gläschen Absinth. Aber Spazieren mit Gehfehler macht keinen Spaß, und bei Drogensachen war ich schon immer eine Lusche. Also machte ich Probetraining. Und jetzt bin ich druff.

Ich liebe es! Dieses völlig autistische vor sich hin Wurschteln. Es ist nämlich gar nicht sexy im Fitnessstudio. Höchstens autoerotisch. Es herrscht so eine Art Bibliotheksatmosphäre. Die totale Kontemplation.

Gesellig wird es erst wieder, wenn man sich nackig auszieht. Dusche, Sauna, Umkleide. Da reden die Leute wieder miteinander. Also genau andersrum als beim Vögeln normalerweise.

Und man wird nicht getriezt. Das hab ich beim Schulsport immer gehasst. Ich bin einfach langsam. Und wenn man mich hetzt, werd ich noch langsamer. Und zusätzlich zickig. Deswegen hatte ich auch immer eine Vier in Sport. In der Körperbehindertenschule. Und auch da war ich immer die Letzte in der Umkleide.

Gisela kommt grad aus der Sauna, als ich in meinem Sport-BH feststecke. Passiert mir ständig. Die Scheißteile sind so eng, wenn sie dann noch nass sind und man selber erschöpft, kann man sich eigentlich nur noch freischneiden lassen. Ich könnte den BH auch einfach weglassen. Aber ich bin so glücklich, dass ich endlich dazugehören darf, da will ich auch so tun, als ob ich einen Busen hätte, den man festhalten müsste.

»Na, meine Kleene! Brauchste Hilfe?«, sagt Gisela und zieht mir den nassen Lappen über den Kopf. Sie war früher Krankenschwester, sie weiß, wie das geht.

»Danke!«, sage ich.

»Welchet war denn jetzt mein Schrank?«, sagt Gisela und probiert alle durch. Sie freut sich schon auf den Frühling, sagt sie. Dann haben die Leute nämlich vergessen, dass jeden Monat Geld vom Konto abgebucht wird. Und wir sind wieder unter uns. Bis nächstes Jahr.

Danksagung

Ich danke meinen Freundinnen und Freunden, die so großzügig all ihre Geschichten und Geheimnisse für Frieda, Kathi, Hannes, Paul und Lea hergegeben haben. Danke besonders an Ariane Lemme fürs erste Lesen und finale Überschriftenerfinden. Danke Lexa Rost für das Lektorat, für ihre Freude an dem Buch und ihre Geduld mit mir. Danke Papa für die Gedichte. Danke Mama.

Inhalt

»Lea Streisand ist eine warme, lustige und traurige Erzählerin. Ein Buch, das man nicht mehr zuschlagen möchte.«   *Marion Brasch*

Lea Streisand

Im Sommer wieder Fahrrad

Roman

ISBN 978-3-550-08130-9

Wo die strahlende Lea ist, da ist das Leben – bis sie plötzlich, mit gerade dreißig, schwer erkrankt. Während ihre Freunde Weltreisen planen, aufregende Jobs antreten, heiraten, Kinder kriegen, kreisen ihre eigenen Gedanken um Krankheit und Tod. Als sie fast die Hoffnung verliert, muss Lea an ihre Großmutter Ellis denken.

Ellis Heiden war Schauspielerin und Lebenskünstlerin, »eine Frau wie ein Gewürzregal«, lustig, temperamentvoll und furchtlos. In den 1940er Jahren etwa schummelte sie ihren Bräutigam, einen »Halbjuden«, in einer abenteuerlichen Aktion nach Berlin und rettete ihm damit das Leben. Auch die Nachkriegswirren, Mauerfall und Wendezeit meisterte sie mit einer umwerfend unkonventionellen Haltung zum Leben. Die Erinnerung an diese besondere Frau stärkt Lea in einer schweren Zeit den Rücken.

Mit leichter Feder, Herz und Humor erzählt Lea Streisand die Geschichte zweier unverwechselbarer, starker Frauen.

Lesen Sie weiter, wie der Roman beginnt …

〜 LESEPROBE 〜

Mütterchens Sofa hatte weiße und rote Streifen. Von oben nach unten. Eine Sechziger-Jahre-Couch zum Ausklappen. Damit man auch darauf schlafen konnte. Falls Enkel zum Übernachten kämen. Ich weiß noch, wie wir immer da saßen. Ich auf der Couch, sie in ihrem Sessel, dieser Kommandozentrale aus Holz und Polstern und Stoff und Scharnieren und geheimen Tischchen und angehängten Mülleimern. Von ihrem Sessel aus hatte Mütterchen eine Aussicht wie Captain Kirk aus dem Cockpit der Enterprise. Neubauwohnung am Tierpark. Zwei Zimmer, Küche, Bad, zwölfter Stock, alle Fenster nach Westen. Die Sonnenuntergänge waren phänomenal. Im Sommer wurde es in der Bude heiß wie in einem Affenkäfig. An solchen Tagen lief meine Großmutter nur mit Hemd und Schlüpfer bekleidet durch die Wohnung. Der Rücken krumm, die Beine dürr, ein Gespenst aus Haut und Knochen. Auf dem Kopf trug sie einen selbstgebastelten Sonnenschutz aus einem zurechtgeschnittenen Kalenderblatt und einem Gummiband. Und wenn sie dann in ihrem Sessel saß und Kreuzworträtsel löste, blitzte manchmal eine Ecke Van-Gogh-Gelb oder Monet-Blau unter ihrem Haaransatz hervor.

Mütterchens Sessel war wie sie selbst. Eine Fortsetzung ihrer Person. Einladend, patent, Geborgenheit vermittelnd. Ein Zuhause.

»Lea-Kind«, sagte Mütterchen eines sonnigen Herbstnachmittags vor zwanzig Jahren, diesmal gekleidet in ihren Lieblingstrainingsanzug, den blauen mit den gelben Streifen. »Lea-Kind«, wiederholte sie, während sie sich ein Stück Toast mit Marmelade in den Mund schob, »über deine Liebhaber könnste oochn Roman schreiben!«

Ich hatte ihr gerade von Christoph erzählt, dem Gitarristen der Schülerband, in der auch der Freund meiner besten Freundin Schlagzeug spielte. Ich war fünfzehn und würde niemals wieder einen anderen lieben, das wusste ich genau.

»Und was ist mit dem von letzter Woche?«, wollte Mütterchen wissen. »Janus, oder wie der hieß.«

»Julius, Oma!«, sagte ich. »Julius hieß er. Nee, mit dem habe ich Schluss gemacht. Der klammerte so schrecklich.« Jeden Tag hatte er angerufen, mir Geschenke gemacht und gesagt, ich sei für ihn der wichtigste Mensch auf der Welt. Sechs ganze Wochen lang! Das war mir zu heftig. Anhimmeln gern – aber vergöttern? Es war doch nur ein Spiel. Mit Kribbeln und Knutschen und Fummeln und Beatles-Schallplatten hören. Die Tragödien spielten sich in Büchern und Filmen ab, nicht in meinem Liebesleben. Zumindest damals nicht.

Drei Monate zuvor hatte ich überhaupt zum ersten Mal geknutscht. Mit Uwe. Er war achtundzwanzig und Student, der Cousin meiner Freundin Katrin. Nach einer Woche beendete ich die Sache. Zu alt. Den hätte ich doch nirgendwo mit hinnehmen können.

Jetzt hatte ich Christoph, und Christoph hatte eine Gitarre und die schönsten blonden Locken der Welt. Ich war verliebt. Die Frage war nur, wann er das merkte.

Seit drei Wochen schon tauchte ich jeden verdammten Dienstag in dem Probenraum im Kulturhaus im Ernst-Thälmann-Park auf. Rein zufällig. Und die arme Frieda musste immer mit. Aber sie fand die Idee einer Quartettbeziehung ja schließlich auch gut. Wenn die beste Freundin mit dem besten Freund des Freundes … Das wär's doch.

»Aber warum macht er denn nichts?«, fragte ich meine Großmutter. »Denkst du, er mag mich nicht?«

»Quatsch«, meinte Mütterchen. »Der mag dich sicher, er traut sich nur nicht.«

»Aber warum traut er sich denn nicht?«, rief ich aufgebracht. »Denkst du, er hat Angst vor mir? Manchmal glaube ich, die Jungs haben Angst vor mir, weil ich zu krass bin, oder so. Da fühlen sie sich untergebuttert. Vielleicht bin ich zu toll für die!«

Mütterchen sah mich an, ein Lächeln spielte um ihre Lippen. »Also, ich weiß nicht, so besonders toll find ick dich eigentlich janich!«

Rums! Bodenhaftung wiederhergestellt.

»Lea-Kind«, sagte sie dann. »Lea-Kind, über deine Liebhaber könnste oochn Roman schreiben.«

»Ach Quatsch!«, rief ich. »Über deine Liebhaber kann man Bücher schreiben! Über das Theater, den Film … Über dein Leben! Willst du nicht mal dein Leben aufschreiben, Omi?«

»Um Gottes willen«, gab Mütterchen zurück und warf die Hände über den Kopf. Ihre Lieblingsgeste.

»Aber du hast so viel erlebt!«

»Mag sein, aber ich habe gar keine Lust, das alles aufzuschreiben. Ich hab's ja schon erlebt.« Sie nahm einen Schluck Kaffee, stellte die Tasse auf das Tablett neben sich, das exakt die Größe des ausklappbaren Tischchens hatte, das an ihrem Sessel montiert war. Dann verschränkte sie die Hände über ihrem kleinen Kullerbauch, schob ihr Gebiss im Mund einmal von rechts nach links und sah mich an. »Du kannst es doch machen«, schlug sie vor.

***

Und nun sitze ich hier. Zwanzig Jahre später. Schneeregen treibt vor dem Fenster, die Straßen sind glatt. Ich weiß immer noch nicht, wo ich anfangen soll. Wo ist der Anfang bei einem runden Ding? Ein Leben verläuft ja nicht linear. Es ist keine Zwirnsrolle, die man abspult von vorn nach hinten, und das war's dann. Das Leben gleicht eher einer Kartoffel, die wächst und größer wird und Beulen bekommt, die irgendwie unförmig ist und dreckig. Wenn man Kartoffeln durchschneidet und in die Erde legt, wachsen neue nach. Und wenn man eine Kartoffel ausgräbt und gründlich abwäscht, dann schimmert sie golden.

Nina Blazon

Liebten wir

Roman.
Taschenbuch.
Auch als E-Book erhältlich.
www.ullstein-buchverlage.de

***Manchmal muss man auf eine Reise gehen, um
anzukommen.***

Verstohlene Blicke, versteckte Gesten, die Abgründe
hinter lächelnden Mündern: Fotografin Mo sieht durch
ihre Linse alles. Wenn sie der Welt ohne den Filter ihrer
Kamera begegnen soll, wird es kompliziert. Mit ihrer
Schwester hat sie sich zerstritten, von ihrem Vater
entfremdet. Umso mehr freut sich Mo auf das Familien-
fest ihres Freundes Leon. Doch das endet in einer Kata-
strophe. Mo reicht es. Gemeinsam mit Aino, Leons
eigensinniger Großmutter, flieht sie nach Finnland.
Eine Reise mit vielen Umwegen für die beiden grundver-
schiedenen Frauen. Als Mo in Helsinki Ainos geheime
Lebensgeschichte entdeckt, ist sie selbst ein anderer
Mensch.